POR LOS TIEMPOS DE
FRANCISCO PIRIA

Luis Martínez Cherro

Por los tiempos de Francisco Piria

NUEVA EDICIÓN CORREGIDA Y AUMENTADA

BANDA ORIENTAL

Diseño de tapa : Fidel Sclavo

Diseño gráfico: Silvia Shablico

ISBN 9974 -1- 0297 -9

©   Ediciones de la Banda Oriental S. R. L.
    Gaboto 1582 - Tels.: 2408 3206 - 2401 0164 - 2409 8138
    E-mail: *ebo@chasque.net*
    11.200 Montevideo, Uruguay

Queda hecho el depósito que ordena la ley
Impreso en Uruguay - 2012

DOCE AÑOS DESPUÉS

La primera edición de "Por los tiempos de Francisco Piria", auspiciada por la Asociación de Fomento y Turismo de Piriápolis, se hizo coincidir con el cumpleaños número cien del balneario. La presente que hoy se pone en contacto con el público lector, más de doce años después de aquella y luego de agotadas varias ediciones posteriores, cumplirá básicamente con dotar al texto de un material gráfico adecuado, acompasado tanto a la rica historia del lugar y de su creador, como a los nuevos criterios editoriales.

Esto no habría sido posible sin el motor que ha significado el profesor Pablo Reborido durante este período en lo atinente a la investigación y difusión de la historia de Francisco Piria y Piriápolis. Una parte importante de los nuevos temas que recoge esta edición se basa en documentos que las investigaciones del prof. Pablo Reborido han dado a luz.

Agradece asimismo el autor la colaboración de Noel Martínez y José Luis Chifflet.

Entre los elementos que se agregan en la presente edición, tal vez el más interesante es el que tiene que ver con el Pabellón de las Rosas; por otra parte, su reconstrucción anhelada por todos parecería que puede llegar a buen puerto con el infatigable Vartivar Alabachian en el timón de la empresa. En la edición de 1990 hicimos votos por la ampliación del puerto de Piriápolis, obra que felizmente se llevó a cabo poco después; ojalá suceda ahora lo propio con el Pabellón, encajado fuertemente en el patrimonio cultural de la población y de los visitantes.

En cuanto a nuevas publicaciones hay que destacar la reedición de *"El socialismo triunfante"*, libro que escribió Francisco Piria en 1898, ubicándolo así como el único escritor uruguayo del siglo XIX en el rubro "socialismo utópico".

La desaparición física del inolvidable José Luis "Tola" Invernizzi, en otro orden de cosas, nos ha colocado a todos quienes vivimos por estos pagos un doloroso crespón negro sobre nuestros espíritus; su nombre estará siempre presente en la mejor historia de Piriápolis.

El autor agradece la colaboración de:

Aldo Scarpa (fotos y folletos)
Noel Martínez (fotos, información, apoyo)
Prof. José Luis Chifflet (fotos e información)
Prof. Rubens "Chopo" Rodríguez (información)
Susana Trías, encargada de actividades culturales del
*   Argentino Hotel (apoyo y difusión)*
Dis. Paolo Bergomi y Sra. Beatriz Segni, directores de MAPI
*   (apoyo y fotos)*
Arq. Mario Páez (información)
Arq. Eduardo Montemuiño (fotos y difusión)
Álvaro Millburn (documentos)
Ing. Jorge Pelúa (información y apoyo)
Funcionarias de la Sala Uruguay de la Biblioteca Nacional

I
CIEN AÑOS

"La vida de un hombre se debe medir por lo que hace,
y por lo que siente en ella [...] Yo".

Así comenzaba Francisco Piria su libro **El hombre que ríe**, en 1885, cinco años antes de fundar el "Establecimiento Agronómico Piriápolis". Al cumplirse 100 años, el 5 de noviembre de 1990, de la fundación de la ciudad —la única en este país concebida y realizada por un hombre solo, dotada de ferrocarril y puerto además de los servicios públicos usuales— se impone, no tal vez "juzgar" al hombre, pero sí aproximarnos al conocimiento de este "personaje singular y novelesco"[1], de quien, ya en 1952 la imparcial Marcha[2] decía: *"Es un hombre al que el país le debe un reconocimiento".*

El contundente individualismo de la firma ("Yo") –aunque con notables antecedentes en la literatura rioplatense, como, por ejemplo, el *"Aquí me pongo a cantar [YO]/ al compás de la vigüela"*, de José Hernández– pinta de cuerpo entero al pequeño hombre de ojos vivaces y caminar ligero que anduvo en sus largos 86 años de vida "a contramano" del hacer y el sentir de la mayoría de los uruguayos y, mucho más aun, de los empresarios vernáculos.

Seguir al fundador de setenta barrios montevideanos[3], muchos otros en localidades del Interior y un pueblo en Canelones (Joaquín Suárez, que por poco no se lleva el nombre de "Piriápolis") y que además ejercitara el periodismo y la literatura, fuera industrial en el tabaco, los vinos, la minería y el aceite, no es menuda tarea. Máxime cuando, siendo también "fundador" de un estilo propagandístico basado sobre todo en las exageraciones más desopilantes, de los ríos de tinta que salieron de su pluma hay que estar muy atento para separar la realidad de la imaginación puesta al servicio de la promoción de sus negocios.

Un muchacho de trece años *"travieso"* y *"diablo"*[4] que habiendo huido de su casa en Montevideo va a parar a un campo en el valle Fuentes, retirándose del mismo en un zaino (que tal vez se olvidó de pedir prestado), es el primer jalón con que cuenta el investigador para entrar en la pista de Piria.

En 1863, cuando tenía dieciséis años, se enrola como *"voluntario"*[5] en un cuartel, muy a pesar suyo, y se aviene a *"cargar fusil de chispa que pesaba una arroba"* por una paga de *"seis pesos y cuatro reales"*, paga que festeja con un alborozo que da precisa cuenta de su penuria económica.

Tal juvenil (y execrado, como luego se verá) empleo, es el único que se le conoce.

A partir de ese momento ya se le ubica como pequeño empresario en el Mercado Viejo. El boliche que armó bautizando de "Remington" a su sobretodo y promocionándolo en la prensa *"para que todo oriental pueda tener su Remington"*, solo es imaginable para quien haya vivido en aquel Montevideo que salía de una revolución para zamparse en otra. La casa de remates tenía más "grupíes" que martilleros, lo que no es poco decir, ya que cuatro martilleros se repartían el día rematando desde las ocho de la mañana hasta las diez de la noche[6]. Con ánimo jocoso recuerda el Piria de cuarenta y dos años[7] esa época, al encontrarse con una "víctima" de sus ventas de relojes *"garantidos por un año... mientras no se pararan"*.

Aún tenía abierto su comercio del Mercado Viejo en 1874 –lo cerraría en 1875[8]– cuando se inicia como rematador en Las Piedras.

Unos años después de inaugurarse como rematador de solares en cuotas en Montevideo, se hace acreedor a una frase que los montevideanos repitieron por muchos años: *"Montevideo se fue formando según los caprichos de Piria"*. Faltaban muchos años aún para los primeros viajes al espacio cuando Wimpi, desde el diario El Plata, sentenciaba: *"Cuando el hombre llegue a la Luna se va a encontrar con un letrero de: **Piria Vende**"*.

Desde el 3 de diciembre de 1888 hasta el 1º de julio de 1894, paralelamente a sus otras actividades, es copropietario, junto con Lapido, del opositor y sensacionalista *La Tribuna Popular*, *"el diario liberal de la tarde"*. Desde sus páginas –amén de la promoción de sus remates y vinos– escribe infatigablemente memorias de viajes –de sus viajes al Interior y de sus continuos viajes a Europa.

El primero de sus "libros" lo escribe en 1879: **Impresiones de un viajero en un país de llorones**, anticipándose a marcar una de las características de los uruguayos.

Si no fue mejor periodista y mejor escritor, se debe en gran parte a su tendencia irrefrenable a salirse del tema, defecto que él mismo reconoce, cuando, luego de irse por las ramas, dice: *"vuelvo, amigo mío, a reanudar mi relato, pues muchas veces, sin ganas, se me va la mula"*.

Casi siempre "la mula se le va" para castigar a los gobiernos, a los políticos tradicionales, a los militares y a la Iglesia (la del boato y la pompa, no al cura pobretón y solidario), sus irreconciliables enemigos.

Habiendo realizado una sólida fortuna con la venta de solares en Montevideo, en 1890 ya venía buscando el "Establecimiento Agronómico" que al fin encontró en la falda del cerro de Pan de Azúcar, pues antes había hecho otra recorrida alrededor de la ciudad de Maldonado de la que da cumplida cuenta en las páginas de *La Tribuna Popular*[9].

Seducido por las bondades del lugar, comienza un emprendimiento agrario que en un tiempo increíblemente corto –Maldonado era de los departamentos más atrasados

Francisco Piria en sus años maduros

del país, sobre todo en caminería– da sus primeras cosechas de tabaco, uva (que se transforma casi inmediatamente en el vino y "cognac-quina" *Piriápolis*), mientras los olivares emprenden su más lento camino hacia arriba. Simultáneamente –todo en carros y carretas, a pata de caballos y bueyes– se organiza la extracción de granitos que, procesados en chapas, van a parar a Montevideo y Buenos Aires.

En 1899 y bajo seudónimo[10], publica un folleto en que da cuenta del *"vasto plan agronómico, balneario e industrial"* y del cual surge que ha mandado delinear los planos del futuro balneario cuyos solares se venderán en mensualidades de $ 0,50.

Propaganda de la cognacquina y del primer hotel, inaugurado el 15 de diciembre de 1902. Estaba ubicado en los jardines delanteros del actual Argentino Hotel.

En realidad faltaban quince años para el primer remate y muchas cosas sucederían en ellos. Entre otras, el primer hotel se inauguraría sobre la playa y no a dos kilómetros de la misma, frente a la también abandonada iglesia, que se puede apreciar a la vera de la ruta 37, que comunica Piriápolis con Pan de Azúcar.

El naufragio del primer barco que llega al puerto natural "del Inglés", portando materiales para el muelle, no fue el único ni el principal desastre a superar: incendios, plagas de langostas, pestes en las vides y temporales que *"aislaban del pueblo"*[11] al resguardo aduanero, eran el marco de unos inhóspitos arenales recorridos de tardecita por los zorros que bajaban de unas sierras pura piedra, uña de gato y ñapindá.

Cuando el guardia aduanero de 1903[12] informa que se encuentra *"rodiado de gentes sospechosas"* que le impiden abandonar la custodia de una barca naufragada pues *"aprovecharían para asaltarla como así lo han pretendido"*, se tiene una pauta del tipo de vecindario del lugar; como en la época de los "cow-boys", según el Dr. Ricardo Piria, se debía ir al cercano pueblo de Pan de Azúcar a traer una remesa de dinero en un carruaje custodiado por gente armada, caballeros de buenos pingos.

La primera década del siglo presencia en Piriápolis un hervidero de 800 a 1.000 hombres trabajando: ya construido el primer hotel (hoy la Colonia de Vacaciones de Enseñanza Primaria) y el impresionante murallón de la rambla, se avanza hacia las obras que culminarían en 1916, año en que las cinco máquinas del ferrocarril de trocha angosta sirven a un puerto que se realizó con sudor humano y máquinas a vapor, en la décima parte del tiempo en que los gobiernos que sucedieron a Piria prometieron su ampliación.

1930: Uruguay Campeón del Mundo de Fútbol en el flamante Estadio Centenario. La nochebuena del mismo año se inaugura el **Argentino Hotel**, sin duda en la época el más grande y suntuoso de América del Sur, como una propuesta de turismo/salud –por su entorno y por sus instalaciones de balneoterapia–, que no solo permanece vigente sino que apunta hacia el turismo del futuro. Entretanto, la máquina de lavar del hotel continúa moviendo los mismos engranajes que comenzaron a girar en 1930 y tiene repuestos –bronce y acero– para continuar haciéndolo por 200 años más.

Al existir niños atolondrados y manos tembleques en la época de Piria igual que ahora, miles de platos de repuestos esperan en los sótanos para ser llamados a cumplir funciones en el comedor; los henchidos depósitos del subsuelo guardan útiles de reposición para más de un siglo.

Luego de los bien aprovechados ochenta y seis años vividos, Piria se va de este mundo, a pocos días de cumplirse los tres años de inaugurado el **Argentino Hotel**. Mundanas circunstancias de amor y muerte, odio y violencia, como se verá, coadyuvaron para que la ausencia de Piria fuese fatal para su obra.

Las temporadas buenas y las temporadas "de oro" se sucedieron luego, sobre todo al vaivén del signo monetario argentino. Una clase de gente muchas veces también de origen humilde como Piria, también trabajadora y ahorrativa como él, puso en marcha hoteles, restaurantes e inmobiliarias; a servir al turismo por un salario, acudieron gentes de todas partes. El sueño de trabajar solo dos meses por año fue posible para muchos en algunas temporadas; la miseria o el buen pasar fue el destino invernal del asalariado al compás del ritmo de construcción.

Este veloz planeo sobre 130 años, tal vez nos ayude a ubicar lo que "hizo" Piria. Siguiendo el plan de trabajo, trataremos de dar ahora un pantallazo inicial sobre lo que "sintió" o "pensó".

"Yo no soy nada"

El hombre que contradijo los valores corrientes de la sociedad de su época, el hombre que se contradijo a sí mismo, también contradice lo expresado por José Pedro Barrán en la primera página de su **Historia de la sensibilidad en el Uruguay**[13], libro de obligada consulta para quien pretenda incursionar en la comprensión del siglo XIX. El Francisco Piria que, colocado en el esquema de Barrán, sería un típico representante de la *"cultura civilizada"*, causante de la *"lenta desaparición* *del pathos"*, hubiese pedido que lo juzgaran por lo que "pensó" y no por lo que "sintió", como lo hace sin embargo quien dejó como mensaje a la juventud[14] un *"enamórate de lo que haces"*, más coherente con el "sentir" que con el "pensar".

Dejando de lado la ridícula adhesión del Uruguay por "las camisetas" (esa que encasillaba, hasta ayer, al blanco/ católico/ hincha de Nacional por un lado y al colorado/ ateo/ hincha de Peñarol por otro), el pensamiento político se compadece generalmente con determinadas cosmovisiones o una visualización del hombre actuando en varios planos.

Pero mal le fue con Piria al periodista de *La Razón* que en 1919[15] quiso ponerlo "contra las cuerdas" exigiéndole definiciones políticas:

"Mire usted, yo no soy nada" –hubo de responderle luego de que el periodista le preguntara si era blanco, colorado, socialista o constituyente–, *"me ha faltado siempre tiempo para poder hacer algo en política, y en cambio me ha sobrado tiempo para ser ciudadano útil y de gran empuje como elemento de progreso"*.

Cabe aclarar que esta característica de "progresista" no le fue negada nunca por nadie y fue tenida en cuenta para la definición de Piria hasta por los dirigentes sindicales anarquistas que levantaron "la huelga grande de Piriápolis" en 1916.

Contradijo, pues, en aras del progreso, a la mayoría de la clase adinerada de su tiempo que invirtió su capital en grandes estancias, promocionando, en cambio, la *"subdivisión del campo"*[16], ya que *"lo que ayer fue un potrero, mañana, fraccionado en chacras podrá ofrecer bienestar y porvenir a muchos centenares de personas"* (por supuesto que las chacras las vendía él); contradijo a los partidos tradicionales que *"sembrando odio entre la familia oriental ensangrentaron con sus luchas intestinas durante tantos años el suelo patrio"*[17]. En resumidas cuentas, contradijo fundamentalmente lo medieval que rezumaba por todos los poros un Uruguay al cual le costaba asumir siquiera los principios de la revolución francesa: *"no en vano monarquía y papado han mandado siempre unidos* [y] *ofician en el altar de la mentira para mantener a los pueblos en la ignorancia y dominarlos"* y apostaba a una humanidad que *"saliendo de la Edad Media... rajara las tinieblas"*[18].

Vigencia de Piriápolis

Quien fogosamente (haciendo honor a su apellido, del griego *pir, piros*: fuego) quiso estar en la cresta de la ola del progreso, casi siempre adivinó hacia dónde iba la correntada del desarrollo económico; una de las pruebas más palpables y documentadas, es el "tour de force" que se ve obligado a efectuar doblemente en Piriápolis: primero, agregando el objetivo de balneario al inicialmente agrario; el segundo, construir sobre la playa el primer hotel y no en la "altiplanicie" lejos de la misma, como fue proyectado en un principio[19].

Antes, había acertado de pleno apostando al desarrollo urbanístico de Montevideo y haciendo de su empresa, *"La Industrial"*, la más poderosa y conocida del

El Argentino poco después de su inauguración

ramo. (A las ventas a 30 años las mató la inflación, por knock-out, luego de su muerte).

Del destino agrario y exportador del Uruguay, el tiempo le ha dado la razón solo en parte: los olivos le dieron aceite para su hotel, pero, muerto él, fueron utilizados como leña; los viñedos que con enorme gasto y trabajo implantó, al cabo le produjeron vino y cognac para su venta en Montevideo y en el Hotel, no así para la exportación a Europa, tal como pensaba realizar (en cambio produjeron para el Uruguay un éxito literario, ya que Brenno Benedetti, el abuelo de Mario –quien escribiera su primer libro de poesía, **Poemas de la oficina**, en las oficinas de "*La Industrial*"–, fue traído de Italia por Piria como enólogo y agrónomo para el establecimiento, dando lugar a una anécdota que luego se verá en la "leyenda negra"). Los granitos –carta fuerte en los emprendimientos de Piria– se vendieron en Montevideo, pero fundamentalmente en Buenos Aires.

En definitiva, apostar al desarrollo turístico con "su" ciudad, es hoy, a cien años de su fundación, de todas las realizaciones de Piria (el desarrollo de Montevideo ya "no es noticia") la de mayor expectativa de progreso.

Luego de años de estancamiento para algunos sectores de la ciudad balnearia y de ruina para otros, la creación de la Reserva de Fauna en la falda del cerro y los nuevos (y *pirianos*) enfoques de un **Argentino Hotel** salvado milagrosamente de la destrucción, estarían indicando que es posible renacer a los cien años de edad y colocar a la ciudad en el rol protagónico que tuvo, en una actividad que, según Enrique Iglesias, es la que más dinero mueve en el mundo moderno.

II
PRIMEROS AÑOS

Es difícil saber cuál era el estado de las calles que contemplaba aquel *"frente de la Iglesia Matriz, que aún no estaba revocada"*, ya que según el memorialista[20], *"cuando llovía se hacían pantanos"* y en algunos inviernos llegaban a *"hacerse intransitables"*. Lo cierto es que esas mismas calles las transitaron don Lorenzo Plácido Piria y Serafina Grosso en noviembre de 1847, cuando concurrieron a anotar a Fernando Juan Santiago **Francisco** María **Piria**, nacido el día veintiuno de agosto.

Navegante genovés el padre y oriunda de Niza la Grosso*, nada propicia les sería aquella *"diminuta ciudad"*, de calles *"pésimamente empedradas y peor alumbradas"*, aceras con *"postes de madera dura"* y cañones de hierro enterrados en las esquinas, poblados los aires por los estampidos de otros cañones, los que usaron tantos años para agredirse los orientales durante la "Guerra Grande", en todo su vigor en aquel lejano 1847. Estando –cuando se escribe este texto– a la espera de los datos que pueda aportar sobre los Piria de la península la Embajada de Italia en el Uruguay, hasta ahora lo que se sabe es que también su abuelo fue navegante, éste de la embarcación *La Concepción*, allá por los principios del siglo XIX.

Una de las dificultades de esta investigación ha sido averiguar qué hay de cierto en tantas y tantas "leyendas" que con el tiempo se han ido formando en torno a Piria. Un periodista de pluma fácil del vespertino *El Diario*[21], seducido por la similitud de los vocablos "pirita" y "Piria", le adjudicó al científico italiano Rafael Piria (que sí existió y fue senador en 1862), nada menos que la paternidad del mineral. El mineral lleva ese nombre por sus buenos atributos para ser usado como pedernal (y obvia-

---

(*) A pesar de que el periodismo se ha referido a "padres genoveses", y así consta en el libro de la Iglesia Matriz, Francisco Piria anota en uno de sus viajes (*La Tribuna Popular*, 27.11.1890), refiriéndose a su madre: *"Como Niza es el país de la que me dio el ser..."*. Cuando declara tal cosa se encontraba a pocos quilómetros de la ciudad francesa del mediterráneo, por lo que cabe suponer se refería a esa Niza y no al condado de Niza en la isla de Cerdeña.

mente, para producir la chispa del "fuego"), y es conocido con ese nombre en Occidente desde la época de los fenicios y el Imperio romano[22]*.

Pero la principal interrogante no corre por una averiguación más afinada sobre sus ancestros, y sí sobre la educación de Piria. Efectivamente: por más que haya sido un apasionado lector (demostrado sobreabundantemente a través de lo mucho que escribió), ¿es posible que un autodidacta llegue a citar tempranamente los autores clásicos griegos y latinos y los principales filósofos de la época sin una sólida educación de base?**

A partir de los trece años los documentos logrados lo ubican muy lejos del estudio, en un fuerte empeño por salir adelante en la vida a través del trabajo y, presumiblemente, muy cercano a la pobreza (Miriam Piria dice que puede haber sido hasta lustrabotas). Algunos familiares supérstites y Blanca Suárez de Arrionda –la principal investigadora de Piria, que dejó "veinte años de su vida en la tarea"– suponen que un familiar –el tío Juan– se ocupó de su educación en Italia a donde lo habrían llevado sus padres a poco de haber nacido, teoría bastante razonable visto los ardores bélicos de la "nueva Troya" montevideana.

La diligencia que lleva a Piria de Minas a San Carlos, acompañado de su infaltable "alter ego" (curioso Sancho Panza), don Policarpo Piedrecilla, con su penoso andar entre los baches de aquellos (¿y estos?) Intendentes, no es el recinto más apropiado para entablar conversaciones, aun para un charlatán infatigable como nuestro personaje. Corría el año 1890 y un caluroso febrero[23]. De pronto, sus ojos se fijan en un rostro. El propietario del mismo lo ladea. Piria insiste. Al cabo, lo aborda pero el hombre se extraña, no conoce al caballero de chaqueta ajustada y franca calvicie que lo interroga.

Más datos se imponen, y *"¿No recuerda usted a un muchacho de Montevideo que había huido de su casa y se conchabó en su Estancia?"*

Eugenio Fourcade, que así se llamaba el interlocutor, al cabo recuerda a aquel joven que en 1862 se llegó a la *"estancia en el Valle Fuentes"* que él capataceaba, pidiendo trabajo, pero no aúna aquella imagen con la de este cumplido caballero.

"Pues bien –le aclara Piria–, *aquel muchacho era yo (un conchabado), tenía trece años, pero no lo olvido nunca".*

Piria no lo podía olvidar, pues, amén de lo que puede haber marcado al joven aquella temprana huida del hogar, parece que no recibió un trato demasiado cariñoso de Fourcade, quien hubo de obsequiar en cierta ocasión con una cachetada al travieso muchacho.

(*) Otro periodista, muchos años después, toma una frase del artículo, palabra por palabra: *"Su abuelo fue el famoso químico italiano José Piria, descubridor..."*. sin darse cuenta de la ensalada que va formando ya que a continuación estampa: *"...su abuelo José Piria mandó durante años una nave llamada La Concepción"...* etc. y para completar, un periodista de otro medio tomaría ambas frases, textualmente y así... hasta registrarse luego en la folletería de Piriápolis que vuelve a retroalimentar la cadena.

(**) Según artículo de *La Tribuna Popular* del 12/12/33 ("Una firme amistad a través de 73 años"), en octubre de 1860 el joven Piria, de doce años, regresaba al Uruguay en el velero Rocca "bajo la vigilancia del capitán de la nave", luego de recibir su educación básica en Diano Marina, pueblo genovés de donde era oriundo su padre.

A Fourcade puede habérsele borrado de la memoria con más facilidad el gurí que se conchabó por un corto tiempo en la estancia, que el zaino que un día faltó de la misma: *"¿Recuerda usted a aquel muchacho que un día se mandó mudar con un zaino?... aquel travieso? aquel diablo?..."* –le hace recordar Piria.

Por último, el encuentro de los dos conocidos termina felizmente con abrazos y reconciliaciones.

Vaya uno a saber cuáles fueron las andanzas de aquel "travieso" desde los trece hasta los dieciséis años. Lo cierto es que, al continuar *"arrancando recuerdos de mi libro de memorias"*[24], ésta le registra que *"corría el 1863 cuando un buen día, faltándole a un muchacho díscolo e inquieto hacer la última cabronada, se presentaba a la mayoría del cuartel 3° de Guardias Nacionales, situado en la calle Río Negro esquina Mercedes, ofreciéndose en calidad de voluntario"*. Si bien eran frecuentes los muchachos de menos edad aun empuñando las armas en aquellos fieros tiempos, el *"Mayor Graseras, al ver a aquel proyecto de Guardia Nacional"*, le dice: *"Muchacho, no seas loco, vete a tu casa que ya te llegará el día cuando la edad te alcance"*.

En esas estaban cuando se aparece el mayor Buenaventura Vázquez, quien luego de echar una indiferente ojeada sobre el niño, pregunta:

"–¿Qué quiere este niño?", a lo que rápidamente el muchacho responde, tiesándose:

–*Señor: soy blanco y vengo a defender a mi partido; si no sirvo para llevar el fusil... no se me negará que podré cargar la cartuchera.*

–*Muy bien muchacho, así me gusta... Hágalo ingresar en la Cuarta Compañía al mando del Capitán Moratorio.*

Aquí suspende Piria el relato para comentarlo: *"Cada vez que el hombre de hoy piensa en el joven... se convence de que no sabía lo que decía* [como hacen] *esos acérrimos partidarios sin ton ni son"*, para descargar enseguida, tal cual su estilo, un palo a *"los que viven del presupuesto"*, declarando de inmediato su profesión de *"hombre independiente"*.

Si bien conservó hasta la vejez cierta tibia "simpatía" por los blancos –la "camiseta" de todo uruguayo– de la misma manera que en seguida se aparta de ella para declararse "independiente", en este relato, también en 1893[25], al aproximarse a la ciudad de Paysandú, la define como el lugar *"en donde el Leónidas uruguayo sucumbió con sus 300 valientes"*, para pedirle al lector, casi a renglón seguido, que no le haga *"el disfavor de colgarle el sambenito de «partidario», afiliándolo al bando"*...

La primera tarea que le asignan al jovencito es pasearse de guardia con uno de aquellos fusiles de avant-carga, mucho más pesados que efectivos: *"de cuando en cuando me detenía; aquello era horrible.* [Le habían dado] *un fusil de chispa reformado y que pesaba una arroba* [y que por su antigüedad] *debió pertenecer al cuerpo del General Artigas cuando era teniente... volvía a empezar [...] cambiaba de hombro, pero no había forma; aquello era demasiado pesado. Cuando acabó la hora estaba deslomado"*.

No teniendo la fecha exacta de en qué momento de 1863 transcurren estos hechos, conviene recordar sí que, por diferencias con Mitre, en ese año *"nuestro gobierno rompió relaciones y la opinión pública entró en efervescencia; manifestaciones de hasta 3.000 personas recorrieron las calles de Montevideo vivando nuestra independencia y apedreando el escudo argentino del Consulado"*[26].

"Así siguieron las cosas –prosigue contando Piria–, *cuando un buen día se trata de enviar una parte del batallón a una expedición [...] formó el grupo el mayor Vázquez con su voz imperativa* [y] *gritó: —Muchachos, los que quieran ir a la campaña a combatir el enemigo, ¡hagan dos pasos al frente!*

Allí fue la mitad del cuerpo y en el pelotón se coló vuestro voluntario, ávido de empezar sus bélicas hazañas".

A menos que voltear un nido de hornero se considerase hazañoso, el joven no tuvo demasiada ocasión de demostrar su ánimo guerrero: la operación consistía en interceptar una ballenera *"en las bocas del Guazú"* que *"conducía desde Buenos Aires hombres y armas para la revolución"*, a cuyo fin se embarcó enseguida Piria con el resto de sus compañeros.

Localizada la embarcación *"escondida en el riacho"*, echaron *"pie a tierra (barro)"* y poco después se formaliza un tiroteo, en el cual *"silban las balas que era un contento"*. El voluntario, *"con su fusil de arroba, haciendo descargas a los nidos de hornero y a los camoatíes"* siembra pánico hasta en sus camaradas, al punto que uno de estos lanza un sorpresivo *"¡Ay!... ¡este gringo majadero casi me mata!"*, ante un tiro que se le escapa al joven *"por casualidad"*, provocando los festejos y risotadas de rigor. Mientras tanto *"el voluntario no decía nada, cargaba y disparaba"*; para darle jugo a la narración, y entusiasmado por ella, el narrador exagera: *"en el apuro llegó un momento que no pudo sacar la baqueta y por no perder tiempo, allá fue el tiro con baqueta y todo"*. Habiendo decidido los enemigos huir ribera adentro, los soldados llegan a tierra firme y el hombrecito, saliéndose de la vaina por efectuar muchos disparos, ya no realiza los siete movimientos que requiere la carga del fusil, y *"...salía el tiro como le daba la gana; colocaba el cartucho en el caño del fusil, daba un golpe en el suelo, ponía el fulminante, y ¡allá va!"*

El hombre que chacoteaba haciendo el relato del enfrentamiento, se vuelve muy serio y minucioso cuando describe el momento de cobrar un *"pret de ocho reales moneda antigua, entregados en la casa de negocio de los señores Moratorio, situada en la plaza de Artola, en 18 de Julio esquina Minas"*, que lo hace sentir rico y exclamar: *"...¡platudo! ¡Seis pesos y cuatro reales!"* (al cambio de uno a ocho).

(Multiplicidad de *"monedas metálicas de valor intrínseco"*[27] circulaban por ese entonces en el país, referidas al oro o al oro y la plata, así como monedas fiduciarias o papel moneda emitidos por bancos que estaban autorizados a hacerlo con la única exigencia de relacionar la emisión al encaje. Si bien no se había acuñado aún el peso creado por la ley de 1862, las contrataciones debían referirse a tal moneda, efectuando las equivalencias correspondientes).

Recién dos años después, por el decreto-ley de 1865 preparado por Tomás Villalba como Ministro de Hacienda de Flores, el Estado regularía el funcionamiento de los bancos, esas instituciones cuya labor atacara Piria acerbamente durante toda su vida, actitud que, entre muchas otras impide ubicarlo como el *"típico patrón manchesteriano"* según la definición de Juan Antonio Oddone[28]. Por supuesto que esa no es la única ni la mayor contradicción, como se verá en el transcurso de este libro, de un hombre extremadamente difícil de encasillar.

Y como los soldados lo trataron de "gringo", prontamente el Piria que hace la historia moteja a estos de "melicos", titulando con un *Siguen las melicadas* el racconto de la próxima salida que le tocó hacer, esta vez hacia algún lugar de la costa Este, no demasiado lejos del puerto de Maldonado.

Formados en el centro del cuartel, a las 4 de la tarde, el mando comunica a la tropa que *"había que marchar esa misma tarde al caer el día"* y así el voluntario, tal vez ahora sí ya pasada la prueba de fuego inicial, dispuesto a cumplir la hazaña bélica, debe *"liar los petates"* apresuradamente sin más tiempo que *"mandar un recadito a la familia"*.

El lector minucioso que quiera saber exactamente dónde se desarrolló la acción que Piria relata a continuación, deberá calcular cuánto camino pudo recorrer "El vapor *Treinta y Tres*" desde el crepúsculo hasta las dos de la mañana, con mar gruesa, o saber al dedillo las andanzas del caudillo colorado Fausto Aguilar*.

Efectivamente, cuenta que a las dos de la madrugada, en algún lugar de la costa (habiendo surcado las mismas aguas que transitaría treinta años después su velero haciendo el tráfico Montevideo-Piriápolis), se detiene el vapor. *"Bajaron las lanchas al agua"* y en una noche casi con seguridad oscura, *"allí fueron los milicos en pelotón"*. Si bien el hombre es un exagerado nato, conociendo la peligrosidad de nuestras costas, tal vez algún crédito habría que darle cuando dice que *"la mar estaba un poco brava, existiendo el peligro de estrellarse contra las rocas"*.

El tercero de Guardias Nacionales iba en persecución de Fausto Aguilar, al cual ubica Alfredo Traversoni como uno de los *"jefes principales de la revolución"*, junto con José Gregorio Suárez, Nicasio Borges y Enrique Castro, que acompañaban al movimiento que iniciara Flores el 19 de abril de 1863 y cuyo episodio más destacado fuera el famoso "sitio a Paysandú" que culminara con la derrota de Leandro Gómez (el "Leónidas" de Piria), el 2 de enero de 1865.

Pésima –tácticamente hablando– debe haber sido la maniobra ordenada, ya que, según el relator, si *"a Fausto Aguilar no se le antoja apretar el gorro* [huir] *nos liquidaban hasta a pedradas"*.

Para mejor, el guía los traiciona, de lo que se queja Piria con acritud: *"llevar un colorado para baqueano de una expedición blanca... ¡el colmo de los colmos!*

(*) Casi cuarenta años después de este relato, lo vuelve a repetir, para el cronista de *La Razón* (13.11.1919), casi en similares términos, pero agregando que habrían desembarcado en Santa Teresa.

¡Con razón se dice que muchas veces los blancos hacen las cosas peores que los negros!"

Al terminar esta épica jornada no con horneros chumbeados y sí con una churrasqueada de novela, conviene recordar a qué hábitos alimentarios estaban sometidos los italianos. Dice R. Foerster, en **The italian emigration**, que *"ganan de dos a cuatro carlini al día, lo que sólo da para comer mal: papas, polenta y cebolla; carnes solo tres veces al año".*

Cuenta Piria que ya que no se pudo sorprender al enemigo *"sorprendíase a las vacas, aunque fueran de los amigos"*, y luego de la matanza *"va sin decir que se churrasquió a lo grande* [porque] *los milicos en campaña a cualquier hora tienen hambre".*

*Desde la playa, antes de la construcción de la rambla. A la izquierda se ven los chalés construidos por Piria.
(Tomada de Carlos Seijo:* Maldonado y su región).

Otra vista de Piriápolis en la primera década del siglo XX. A la derecha se pueden ver los chalés que alquilaba Piria. En último plano, a la izquierda, el Hotel Piriápolis, inaugurado en 1905. Gentileza del Sr. Rolf Nussbaum.

III

EL MERCADO VIEJO Y LOS "REMINGTONS"

El hombre que así ironizaba sobre la soldadesca hambrienta con seguridad debe haber conocido penurias en su juventud, tal lo que se desprende de una reflexión que "de profundis" le brota más adelante[29] con el claro e intransferible troquelado de la cosa vivida: *"...la mañana era fría, ¡pero cuando uno tiene hambre, lo que menos siente es el frío!"*

En el mismo capítulo de **Un viajero en el país de los llorones**, aúna pobreza y trabajos (*"si uno tiene la desgracia de ser pobre y a fuerza de trabajos, de privaciones, de sacrificios, de desvelos, llega a fuerza de codazos a abrirse paso y trepar esa escabrosa montaña de la fortuna"*), lo que indica que muy fácil no le fue abrirse camino a partir de la casa de remates del Mercado Viejo que declara haber abierto en el año 1867 y que tuviera actividades hasta 1875, independientemente de otros quehaceres.

Dictatoreaba Venancio Flores (y dictaba sus órdenes el Dr. Francisco Vidal) –mientras, en la página más vergonzante del Uruguay, obedeciendo a la mayor fuerza del Imperio del Brasil y de Mitre, el dictador llevaba a los orientales a matar a los paraguayos– cuando oficiaba de *shopping center* para Montevideo el "Mercado Viejo" o "Principal", ubicado en el edificio de la antigua Ciudadela. Razón tiene Fernández Saldaña[30] cuando pide que se le exima de mayores comentarios al glosar al escritor de la época que al describirlo dice *"...y en el silencio de la ciudad dormida el tropel de las ratas a la carrera por el Mercado semejaba el ruido de la corriente tumultuosa de un arroyo"*.

Pero también como corriente tumultuosa fue la avalancha súbita de dinero que se derramó sobre aquella incipiente ciudad al transformarse en un nudo vital del comercio para los ejércitos en guerra. (Las durísimas críticas de Piria a las dictaduras militares también contradicen el general beneplácito con que las clases adineradas acallaron los principios en aras de los buenos negocios).

No era nueva la actividad de los remates que aquel joven de 20 años va a iniciar en el Mercado: en 1814 –afirma Isidoro de María– un desconocido abrió la primera casa, *"aunque en aquella época* [eran] *sin bombo ni cohetes de la India, y mucho menos con cerveza y cigarros habanos"*, tal como se popularizaran más adelante gracias a Piria. Las cifras de los rematadores registrados en Montevideo acusan un aumento que da cuenta del progreso de la actividad y del país: el **Libro del Cincuentenario de *El Siglo*, 1863-1913** señala que el número de ocho para 1863 se transforma en un elocuente ciento cuarenta y seis en 1913.

Lucango Cabanga fue el padre de aquel "corneta Sayago", un negrito que, a estar a lo que cuenta Sansón Carrasco[31] (seudónimo de Daniel Muñoz) al *"toque de clarín sacudía la modorra de las siestas montevideanas distribuyendo prospectos y anunciando remates"*.

Gran parte de la popularidad del negrito corneta se debía a la promoción de Francisco Piria, *"el más conocido, el más activo y el más ingenioso de los martilleros populares, el protector de las clases jornaleras, creador de pueblos y aldeas..."*.

La gritería enronquecida de los martilleros es lo que más llamó la atención a Daniel Muñoz; así "[hace su aparición Francisco Piria]... *bajo el arco de salida del Mercado Viejo, donde estableció su tienda de remates permanente, que funcionaba desde las primeras horas de la mañana hasta las diez de la noche, hubiese o no concurrentes, con sol o con lluvia, con calor o con frío, oyéndose siempre el continuo pregonar del vendedor, cuya voz se enronquecía a medida que avanzaba el día, y que al llegar la noche se hacía de todo punto incomprensible. Los dependientes de Piria apenas le duraban una semana. Si se formase una estadística de los que en Montevideo padecen de la laringe, seguramente que figurarían en crecida proporción los que llevaban el martillo en la tienda del arco del mercado"*.

Por su parte, Piria recuerda esta época no tanto por la garganta de sus martilleros y sí porque: *"...se vendía al detalle y no menos de $ 600 diariamente y al contado. Había una organización completa: cuatro martilleros* [y] *un personal completo de dependientes y otro de grupíes, pues no hay remate al detalle posible sin tenerlos, aunque más no sea para hacer bulto, porque los hombres son* [...] *como las ovejas y si no hay quien haga punta allí se quedan, arremolinados"*; (aquí se "le va la mula" otra vez al hombre al despotricar contra quienes) *"...se arremolinaron durante una década de vergüenza* [el militarismo de Latorre y Santos], *faltando quien hiciera punta para romper el corral del despotismo"*.

Continuando con el remate, dice Daniel Muñoz:

"Eran de verse los esfuerzos que hacía el martillero para atraer marchantes:

–¡Vamos a ver, señores! –repetía con énfasis– ¡cinco reales! ¡cinco reales!... ¿no hay quién dé más? Fíjense que esto es tirado a la calle... Y al mismo tiempo que con la mano derecha repicaba con el martillo sobre el mostrador, cada vez que ante la puerta pasaba un transeúnte, mostraba con la izquierda en alto un calzoncillo o una camisa cuyas bondades ponderaba inútilmente, pues ni los bancos, ni las sillas, únicos concurrentes, por lo general, de la tienda, se dejaban convencer por la elocuencia del orador."

La utilidad de los *grupíes* de Piria la comenta Muñoz diciendo que *"cuando el público no acudía de suyo [...] él buscaba medio de atraerlo, y así como los cazadores de jilgueros ponen un llamador para que los que vuelan acudan al reclamo, así también Piria alquilaba llamadores, cuatro o cinco grandulones de esos que haraganeaban en los bancos de las plazas, los cuales servían de reclamo para hacer entrar a los paseantes desocupados, que a su vez iban formando un núcleo que poco a poco aumentaba hasta que la concurrencia llenaba el local".*

Una rápida y sagaz observación de las características del público también era fundamental para ir vendiendo de acuerdo con la característica del paseante ya que *"si las camisas y calzoncillos no encontraban acogida, salían a relucir los sacos y pantalones; si se presentaba un paisano, ponía en venta, como quien no quiere la cosa, un par de bombachas; y cuando creía distinguir a algún parroquiano acomodado, sacaba a luz las alhajas...".*

La honradez que fuera proverbial más adelante en los negocios de *La Industrial*, también la usó el joven rematador:

"–Vamos a ver, señores! ¡Un anillo con brillantes falsos!

Y, cosa de que no quedaran dudas:

–Garantidos falsos! ¡Aquí no se engaña a nadie!

Y mientras seguía la cháchara interminable, circulaba la prenda de mano en mano, hasta que alguno se tentaba y ofrecía un real más y caía el martillo, y reaparecía otro anillo y otro, mientras la demanda de anillos no aflojara".

Pero, a estar a lo que Piria escribe, el fuerte de su negocio no se basó tanto en las *"mercaderías varias"*, sea ropa o anillos con piedras preciosas garantidamente falsas, sino en la venta de relojes de bolsillo, de aparición relativamente reciente ya que durante la Guerra Grande era fundamental estar *"al golpe del balde"* de las campanadas de la Iglesia Matriz para saber en qué hora se vivía.

El Piria de 43 años, veinte años después de haberse desligado de esos comercios menores y habiendo escalado ya aquella "montaña de la fortuna", en uno de sus viajes al interior recuerda, al encontrarse con un buen señor de apellido Duntra que habría sido uno de sus fervientes compradores de relojes:

"En el año 70 la Exposición Universal [tal fue el nombre de uno de sus comercios] *vendió 7.395 relojes de bolsillo, lo que nos da un término medio de más de 20 relojes diarios".*

*"...don Fulano Duntra, que es el paisano del cuento, cayó en la volteada trayéndose un surtido de relojes «**garantidos por un año**», que así los vendíamos con el correspondiente certificado, es decir, «garantidos un año que marchaban bien, siempre que no se pararan...»".*

Incendio en el Mercado

"¡Que se quema, señores, que se quema!", coloca el periodista de *El Nacional* en la página uno al dar cuenta del "gran incendio" que transformó al Mercado Viejo en una enorme antorcha, la noche del 16 de febrero de 1870.

"¡Ea, señores que se quema!... ¿No hay quién dé más? ...¡Que se quema!..." continúa, dando un pantallazo de la figura del rematador que, con el martillo alzado, amagaba titubear antes de bajarlo con un golpe seco sobre el mostrador de roble, alertando a la trasnochada concurrencia de que iba a *"quemar"* la mercadería. Muy acertado el enfoque de esta crónica periodística; la casa del rematador cerró sus puertas a las diez de la noche, "quemando" (o no) los precios de muchas prendas de ropas y chucherías y poco tiempo después –a las once y cuarto, exactamente– el fuego de verdad arrasaba con el comercio de Piria, el de la "cigarrería contigua" y varios "cuchitriles" más del Mercado.

Plano del primer barrio desarrollado por Piria

"Y por último fue cierto: se quemó y se quemó todo", concluye el artículo.

Para Juan Carlos Pedemonte el incendio "pavoroso" fue el "mayor" de la historia de Montevideo[32].

El sacristán de la Iglesia Matriz *"trepado a la torre"* y lanzando a rebato el toque de las campanas; *"parte de la guardia"* saliendo precipitadamente del Cabildo a desenrollar la manguera del carretel –pasarían muchos años todavía después de aquel 1870 hasta que se oficializara la "policía de fuego"–, agregando al crepitar de las llamas el duro y traqueteante sonido de las ruedas del carro sobre los adoquines;

las manos de los *"marineros de los navíos extranjeros"* uniéndose a las de los vecinos montevideanos más prestos en dejar las camas, formando *"una cadena de baldes desde los muelles hasta el fuego"*, fueron el marco humano que alumbraron aquellas *"imponentes columnas rojas"* que surgían del Mercado Viejo.

No dicen las crónicas si el rematador de veintitrés años se unió a la cadena de baldes mientras el incendio *"con su atracción especial y trágica"* juntaba a la gente en torno al Mercado y espantaba a las miríadas de ratas en todas direcciones.

Sí consigna Pedemonte que aquel joven que se destacara *"por la liberalidad de sus negocios, por la estridencia de su propaganda y por la novedad de vender al mejor postor con un sistema que le era particularísimo"*, y que *"discutía con sus clientes saliendo a la vereda mientras subastaban, perdió prácticamente todo"*. La prensa de la época reseña causas y víctimas del siniestro (puede consultarse *El Nacional* y *El Telégrafo Marítimo*, de febrero de 1870) así como lo que tiene que ver con las pérdidas totales para Piria; éste abrió inmediatamente la *Exposición Universal* en 18 de Julio y Andes ("Los Andes", por aquella época) aunque manteniendo, según su propio testimonio, el local del Mercado hasta 1875.

Distinto papel tuvieron en la vida de Piria aquellos *"cuatro elementos"* que según los antiguos componían el mundo. La pureza del AIRE –*"salutífero y aromático"* por las emanaciones de pinos y eucaliptus implantados– tuvo lugar preponderante en su literatura propagandística incitando a vivir en lugares recién loteados, alejados de las *"miasmas pestilentes"*; al AGUA –la *"medicinal"* de las fuentes y la calefaccionada del mar– apostó una buena parte del "turismo/salud" de la Ciudad Balnearia del Porvenir, y de la TIERRA extrajo los granitos y los nutrientes que succionaron las raíces de las viñas. El FUEGO de su apellido (del griego: "pir", "piros") que para el autor de *"La Celestina"* es el *"más activo y más noble"* de los elementos, en Piria tuvo una acción bivalente: hay quienes interpretan que el incendio relatado pudo ser la catapulta que lo llevó a ampliar su gama de actividades en procura de enjugar las pérdidas sufridas, en tanto que a raíz de otro incendio, éste a poco de su muerte, tuvieron un trágico fin –asesinato y suicidio– las dos personas tal vez más capacitadas para continuar la obra de Piriápolis e impedir la ruina que liquidó la ciudad al faltar su fundador.

El taller de los "Remingtons"

Gran sacudón para la amplia y prestigiosa colectividad de los sastres, debe haber significado aquel "Taller" de ropa de confección que instala al correr de 1877 –un tenderil emprendimiento que también busca su clientela en las clases medias y bajas, la misma de los solares en cuotas– en la esquina de Treinta y Tres y Rincón, con puerta en el Nº 160 de la calle Treinta y Tres, y en el Nº 82 de la calle Rincón.

"Sacudidos también al principio los vecinos de Montevideo de mediana posición, no se atrevían a entrar porque se vendía muy barato. Muchas veces,

cuando veían a un individuo mal vestido, por no poder algunos sastres hacernos la competencia, solían decir en voz alta para que todos los oyeran: "«ése se vestirá en lo de Piria»".

Avergonzados, pues, los montevideanos no osaban desprestigiarse ante la sociedad vistiendo por menos precio; pero el hombre que decía que los imposibles no existen, no se arredra ante la dificultad, y *"...conociendo un poco el carácter de este pueblo, resolví tomar una determinación extrema, pues me costaba trabajo el atraer cierta clase de público; y ¿sabe Ud. lo que hice? fue lo siguiente: abrí una puerta que da a la calle Treinta y Tres, o sea al fondo del negocio; una puerta trastienda, como aquí le llamamos, y viera Ud., amigo mío, los episodios que pasaban diariamente... ¡Figúrese que había individuos que lo menos pasaban veinte veces por la consabida puertita, hasta aprovechar la ocasión de que nadie los viera para* **colarse de rondón**!*"*

Así las cosas, parece ser que en un remate de ocasión, Piria adquiere varios miles de yardas de una tela gruesa, aparente para confeccionar abrigos. (Adquiridas a bajo precio, como corresponde, como tratara luego de adquirir tierras en extensiones grandes para fraccionar).

Con ella confecciona gran cantidad de *"unos capotones largos"*, a estar a la descripción de Daniel Muñoz (o *"levitones"*, al decir de su inventor). Si en la cantidad fuésemos a guiarnos por Piria –que jamás lo hacemos cuando en lo que dice pueda haber la más pequeña posibilidad de que se trate de propaganda, o de "bombo", tal su palabra preferida– ni el Estadio Centenario hubiese sido suficiente para guardarlos.

¿Cómo arreglarse para vender un par de miles de capotones en aquella aldehuela, y a una clientela aún remisa en comprar ropa de confección?

Los adelantos de la técnica que conoció el Uruguay alrededor de 1870 (la máquina de vapor, el ferrocarril, la energía eléctrica, el telégrafo, etc.) causaban asombro tras asombro. Uno de ellos, el fusil Remington, con la impresionante eficacia de fuego de seis tiros por minuto, apuntados, daba por tierra con el caballo y la carga de caballería, fundamento bélico que fue el soporte de las luchas por la Independencia, y de las grandes batallas de la humanidad desde tiempo inmemorial.

Por otra parte, las revoluciones y contrarrevoluciones se sucedían una a otra por apetitos políticos, económicos o porque sí nomás (el caudillo Máximo Pérez debe tener el récord con 17 alzamientos, tal vez).

¡Cuál no sería el impacto, entonces, entre los montevideanos, cuando unos volantes ("boletines") anunciaban que mañana, en tal dirección, **cada oriental fuese a buscar su Remington**!

Con toda seguridad que los primeros que llegaron fueron los soldados y los policías, armados a guerra y de lengua afuera.

Piria comenta, en el mismo libro, dos años después, su golpe maestro de publicidad, diciendo que el año 1878 *"la situación anormal que atravesaba el país"* [...] vivía una coyuntura **de remington** [por lo que] *"creí más adecuado ese nombre, y no me equivoqué, pues el nuevo artículo hizo estruendo, y en tres meses la Exposición Universal vendió más de cinco mil remingtons"*.

IV
LA BASE DE UNA FORTUNA: SOLARES BARATOS Y A TREINTA AÑOS

El rojo de la sangre equina mezclada con el similar color de la humana, abiertas las epidermis a golpes de proyectiles de remingtons, habían teñido las pasturas orientales en la batalla de "San Severano", el 7 de octubre de 1875, marcando así en la patria el primer jalón del descaecimiento del caballo como fundamental sustento guerrero[33].

A partir de esa década una parte de la abundante caballada criolla pasa a prestar servicios, durante largos treinta años, en la mucho más civilizada y urbana tarea de arrastrar por las calles de Montevideo los "trenes americanos" o "tram-ways", o "tren-ways", o sencillamente "tranvía" tal cual se asentara el nombre luego del sabio manoseo del habla para designar al tren de caballos o tranvía de caballitos*.

Tras las rutas abiertas por ellos, y casi enseguida por los ferrocarriles, andaría Francisco Piria transformando tierras vacías en barrios y pueblos. Aparentemente la desventaja que le acarreaba su peleadora oposición a los gobiernos, legales o no, hizo que muchas veces sus proyectos se enlentecieran –tal como aconteció con la fundación de Joaquín Suárez, en donde libró una áspera pelea contra la Compañía para que rebajara las tarifas, o en la puesta en marcha de su sueño dorado, Piriápolis, ya que también tuvo esperanzas de que la vía férrea pasara por allí.

Ubicándose en 1874 el primer remate de Piria –barrio "El Recreo", en las inmediaciones de Las Piedras–, una rápida ojeada sobre el calendario del país nos dice que a la sazón el gobierno de Ellauri ensayaba un difícil equilibrio entre los muchos grupos en pugna. Habiendo finalizado hacía apenas dos años la revolución de Timoteo Aparicio, solamente un año después comenzaría Latorre el período militarista, catalogado por Piria como la *"década infame"*.

(*) Cuando la energía eléctrica sustituye a la noble fuerza del caballo, en la primera década del siglo, se advertía a la población por intermedio de la prensa que se debían tomar *"medidas de precaución y prudencia sobre toda la velocidad exagerada"*, recordando las velocidades límites: *"10 kmts. por hora dentro de la Ciudad Vieja, 15 kmts. por fuera del perímetro de la Ciudadela, y 20 kmts. por hora más afuera"*.

Por un carril distinto al político, las oleadas inmigratorias, los alambrados, las innovaciones técnicas y el capital extranjero, empujaban a grupos humanos a constituir moldes sociales y legales que, en ese último tercio del siglo y en los primeros años del siguiente, sin duda alguna definieron la característica del país, a tal punto que hoy, mirando esa "nerviosa" actividad se puede decir que a partir de entonces, prácticamente no ha pasado nada. (Constituidos: el stock pecuario similar al actual, los frigoríficos, los ferrocarriles, el puerto y la banca, las "novedades" a fines del siglo XX serían apenas la Conaprole exportadora y el turismo).

Muy atento a ese febril transcurrir debía estar Piria para echar su pingo en el momento justo. Porque si bien era fácil apreciar la riqueza que aumentaba de día en día (de **un millón** de ovejas ordinarias –un quilo de vellón– de la Guerra Grande, se pasaba a **trece millones** en 1872, y luego a **veintitrés millones** en 1900, con dos quilos de vellón) también las crisis, que los economistas de la época creían inevitables y cíclicas, golpeaban a cada poco la economía del país; para tratar de poner orden en la inestabilidad financiera se dictó una ley que creaba el "Banco Nacional", pocos años después fundido por Emilio Reus, su *"omnímodo gerente"*[34], tras las inevitables especulaciones, sobre todo inmobiliarias, que trajo aparejadas la súbita prosperidad.

Con una buena cuota de fe en los salarios, en la estabilidad de la moneda y una permanente promoción del *"ahorro como base de la fortuna"*, hubo Piria de *"hacer propietarios a la fuerza"*, aunque para ello tuviera que ofrecer a su público comilonas gratuitas precedidas de locomoción también gratuita:

"Después del rematazo, ¡*Lunch!"*[35], anunciaba por la prensa, enumerando a continuación el menú, aderezado con sus infaltables ironías:

"–2.000 suculentos pasteles de carne «a la Visillac».
–500 alfajores con dulce de leche a la «Mangones».
–500 pasteles de «Cremona», legítimos a la «Playitas».
–100 botellas de champagne «Granja Amortizable».
–500 litros de vino blanco «Revolución».
–Pan y bizcochos en abundancia.
–5.000 cigarros marca «Moral Administrativa».
(*Toda la inmensa cantidad de fruta que hay en la quinta queda a la disposición del público, para postre!*)*".*

Como si fuese ya poca conmoción la caravana de tranvías adornada con cintas de colores, o los muchos "wagones" de ferrocarril, prestos a trasladar a los posibles compradores, y a los "colados" de siempre, a la fiesta de Piria, una banda de música levantaba los ánimos de la concurrencia, antes y después de los remates.

La banda de música, el "bombo" pirista, había ya sacudido los oídos de los montevideanos desde que, en sus comienzos, intentara realizar los remates en la Plaza Independencia, a puro plano y grito:

FRANCISCO PIRIA
EL DOMINGO PROXIMO A LAS 3 DE LA TARDE
SOLEMNE INAUGURACION DEL BARRIO **TROUVILLE URUGUAYO**

Ensanche de los Pocitos--Espléndido terreno--Altura soberbia--Calles ámplias de 20 v.--Verdaderas avenidas Una gran plaza que arranca de la costa con dirección al centro del nuevo barrio, la que mide veinte mil v. cuadradas--Única plaza de los Pocitos, el gran punto de reunión de la gente de buen tono.--Sobre la costa del mar.

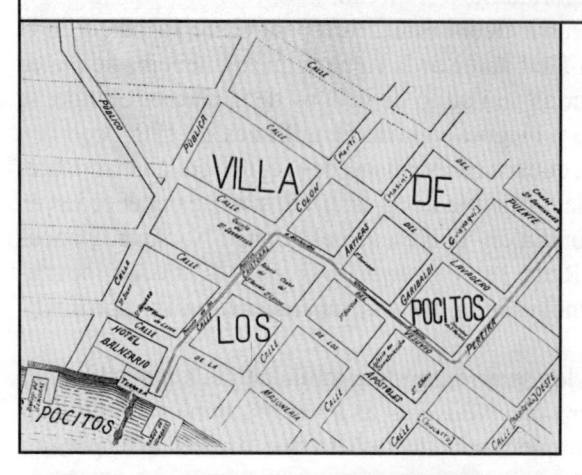

"Yo, en la Plaza Independencia, día a día, con mis planos, mesas, música y tambor, predicaba la subdivisión de la propiedad, vendía terrenos, es decir, daba carta de ciudadanía"[36], diría años después, en 1885.

En ese amargo libro, **El pueblo que ríe**, en el que practica la crítica y la autocrítica, también dice: *"No faltará quien observe que me doy un poco de bombo, aunque inofensivo..."*, para, luego de arremeter contra una sociedad donde *"todo es farsa, bombo y mentira"*, hablar de su particular enfoque de la propaganda en estos términos: *"lo hago mil pedazos"* [el folleto de propaganda] *"porque más de la mitad de lo que escribo es **bombo**, y me repugna; y sin embargo, vuelvo al día siguiente a la misma tarea y escribo uno peor, es decir, más **bombástico**, y concluyo, **con toda repugnancia**, por publicarlo"*.

Propaganda de un remate de Piria en el año 1887.

(Mucho menos repugnancia que Piria tuvieron quienes, alrededor de 1950, vendieron solares *"a puro plano"* en el Departamento de Rocha trazando alegremente preciosas calles en el papel que se correspondían con excelentes tierras... de bañado).

Un contemporáneo de Piria, Daniel Muñoz, contó así un día de venta de solares:

"El terreno del remate es una verdadera romería. Aparte de los interesados en la compra, que son los menos, concurren allí todos los que no tienen que hacer de sus domingos, aprovechando la ocasión de tener un día de campo y hartarse sin que les cueste un centavo, merced a la generosidad de Piria, a quien poco le da sacrificar algunos reales a trueque de ver su remate bien concurrido".

Para que la fiesta fuera completa y la concurrencia quedara contenta –y con una boleta de compra en el bolsillo– al comer, beber y fumar, se le agregaban las carreras de sortijas, palo enjabonado, carreras de embolsados, todo matizado por el sonido del tambor, el estampido de los cohetes y el de las cañitas voladoras.

Aquí cabría suspender un poco la fiesta y comilonas para preguntarse: ¿Y qué vendía, el hombre, y cómo, y a quiénes?

Siguiendo el exhaustivo trabajo realizado por los profesores Álvarez Lenzi, Bocchiardo y Arana, las tierras de Montevideo pasibles de amanzanar y lotear se habían dividido en 1878 por un "Boulevard de Circunvalación" –actual Bulevar Artigas– conociéndose el sector interno por el nombre de "Ciudad Novísima". En este sector debía atenerse el loteador de tierras a determinada reglamentación, aunque *"no siempre la acató con rigurosidad"*. Para las zonas exteriores, la municipalidad llegó después que los vendedores de tierras, ocasionando esta dualidad de situaciones que la parte interna a Bulevar Artigas ofrezca un damero relativamente uniforme, contrastando con la mayor variedad de diseño del sector externo. Para la creación de poblados, expresa el profesor Álvarez Lenzi (omitiéndole al lector cifras y tecnicismos) que casi una tercera parte del terreno debía cederse al Estado para espacios públicos, proporción que Piria, para variar, exagera a la mitad en sus escritos.

Si bien las condiciones eran inmejorables para ampliar el sector de propietarios –sobre todo a un gran número de inmigrantes que jamás habían soñado serlo y así lo supieron apreciar muchos gestores inmobiliarios–, le corresponde a Piria el mérito indudable de haber sido el "pionero" de las ventas a plazos (que comenzando con 40 meses, a lo largo de los años se van extendiendo hasta llegar hasta los hoy increíbles treinta años) y de un enfoque de la promoción abiertamente revolucionario para su época, por las exageraciones desopilantes dirigidas a llamar la atención del público, un eficaz tratamiento del lenguaje, tributario del fin anterior que mezcla sabiamente "habla" y "lengua", junto a una permanente búsqueda de nuevos medios que lo lleva hasta escribir una novela corta para promocionar la venta del fraccionamiento de la quinta de Cibils: *"Pueblo de los Pocitos –Gran Centro de la High Life, de la nobleza uruguaya ¡y de las lavanderas!".*

Si bien no tan remota como hoy, la posibilidad de que una lavandera adquiriese un solar en Pocitos no era muy real, pero sí lo podía hacer cómodamente un medio oficial albañil, por ejemplo.

Basados en un presupuesto de *"Gastos de una familia, en libras, de 1885"* (Rodríguez Villamil y Sapriza) los citados catedráticos de la Facultad de Arquitectura llegan a la conclusión de que un oficial albañil *"que recibiera el jornal mínimo de $ 1.60"*, tenía una capacidad de ahorro del 50% (los gastos diarios de una familia, incluyendo alquiler barato, ascendían $ 0.80, cifra que conviene recordar toda vez que se mencionen niveles de salarios en el curso de este trabajo); más adelante, comparando jornales de la industria de la construcción con los gastos familiares mensuales, establecen que el poder adquisitivo de 1885 **triplicaba** al de 1984 (para ser más exactos, era 3.09 veces mayor).

Si una *"vivienda media"* costaba $ 1.000 según dichos autores[38], y hoy en día cuesta U$S 20.000, un peso de aquella época equivaldría a 20 dólares de hoy, al menos en su capacidad de adquisición de inmuebles. Este otro parámetro coincide casi exactamente con el tomado anteriormente: un sueldo de oficial albañil debería ser de 500 dólares, y no de la tercera parte, como sucede en realidad.

Cabe aclarar que entre tantas variables a tener en cuenta, es elocuente el mínimo valor de la carne en la canasta familiar: en las cifras establecidas para 1885, veinte años antes del traslado de las carnes a Europa en barcos frigoríficos y cuando de la res se aprovechaba para la exportación solamente el cuero y, en mínima parte, el "tasajo" ("charque", carne salada), el gasto de carne establecido para la familia es similar al del pan.

Oscilando el valor de la cuota de un solar entre $ 1 y $ 5, según el punto, cercanía de tranvías –de tarifas muy caras al principio y que fueron decreciendo con el progreso y con el batllismo– y de otras mejoras, aun era fácil pagarlas hasta para el peón albañil que ganaba el mínimo de $ 1, teniendo en cuenta la capacidad de ahorro señalada.

La salud –que por su importancia se tratará aparte más adelante– iba casi siempre mezclada en la literatura de volantes y anuncios, aconsejándose las tierras por los buenos (e *"higiénicos"*) aires, y la cercanía a parajes arbolados o de buenas aguas. Así, el *"remate colosal"* que haría *"Francisco Piria el domingo próximo por cuenta y orden de la empresa particular* **La Industrial**, *en venta libre y como nadie lo hace, a 40 meses de plazo"*, sería de *"150 solares quintitas, con árboles frutales de todas clases"*, y *"20 quintas con fondo* **al frondoso y navegable Miguelete***..."*.

Quede claro que en este caso –aunque raro– Piria no exageraba ni un ápice: numerosos testimonios (entre ellos el del santalucense José Monseglio) dan cumplida cuenta de que el paseo en bote por el Miguelete era un esparcimiento preferido por los montevideanos que lo hacían enmarcados por los espléndidos sauces de sus riberas.

Joaquín Suárez

La titánica empresa al cabo efectuada en Piriápolis, tuvo su antecedente más modesto en la fundación de la localidad *Joaquín Suárez*, en el departamento de Canelones, siguiendo el desarrollo del ferrocarril.

Años después de su inauguración, en 1890[39], y al ofrecer 500 solares más de dicho centro poblado (*"¡Oído a la caja! Solares para pobres ¡$ 1 por mes!, solares para ricos, ¡$ 2 por mes!"*) aclara que *"¡podrán abonarlos tarde, mal, nunca!..."* porque se trataba de *"favorecer a las clases más económicas del país"*.

Cuenta Piria que, invitado por *"el ingeniero de la Compañía"* (de ferrocarriles), compró inmediatamente aquellas tierras adonde *"no había ni un rancho, ni habitaciones de clase alguna, ni alumbrados, como cuando Juan Díaz de Solís descubrió el Río de la Plata..."* [mientras el ferrocarril del Este] *"avanzaba a paso de tortuga"*.

"El nuevo pueblo hubo de llamarse Piriápolis[40]*, a indicación de mi amigo el Ingeniero Andreoni y varios miembros del Directorio, a lo que no accedí pues hasta ahora sólo me domina la vanidad de la nada!"*

Comenzó la tarea haciendo *"caminos [...] en todas direcciones, composturas de pasos y construcciones de calzadas, plazas, boulevards [...] pues había que poblar"*. Él mismo se pregunta cómo poblar y se responde: *"lo poblé regalando los mejores lotes"* (por información suplementaria obtenida de otras fuentes se sabe que exigía levantar construcciones en los lotes donados)... *"y no vendiendo ni una vara hasta que no estuvo concluida la Estación y cuando ya había una docena de edificios"*.

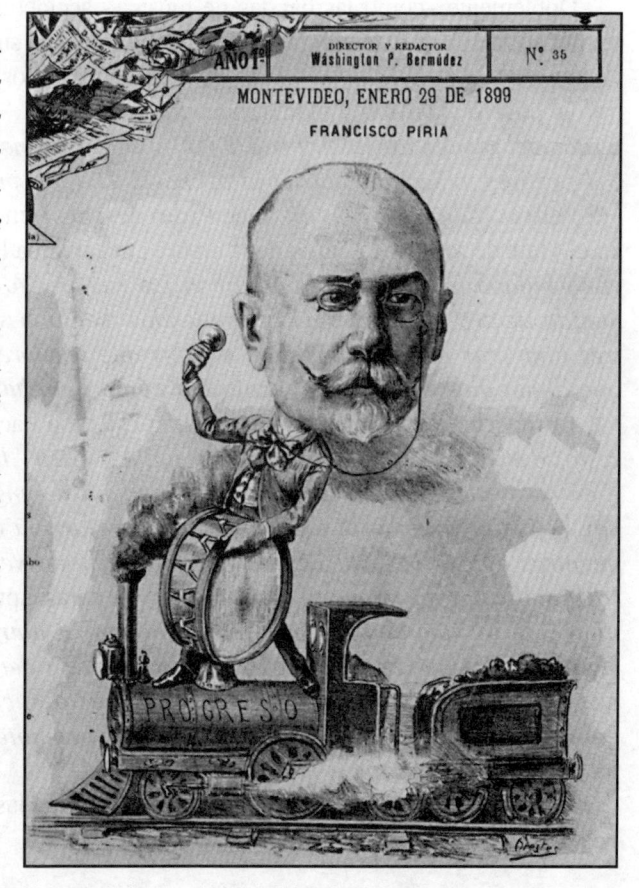

Caricatura de "El Negro Timoteo"

Serio tropiezo sufrió la empresa cuando *"a la Cía. se le ocurre aumentar las tarifas de carga* [haciendo] *rodar al abismo mi operación"* [en la cual había invertido]... *"todo mi pequeño capital disponible".* Así, emprendió *"una guerra sin cuartel al Directorio* [ya que] *con las tarifas de pasajes y precios disparatados, ¡nadie compraría una vara! ¡Era yo víctima del espíritu cangrejuno de nuestro país!"*

Al cabo de meses de negociaciones (que dan lugar a cartas que Piria publicara en su folleto de 1881-1882, **Mr. Henry Patrick en busca del Pueblo Oriental**, de propaganda para la venta inicial de Joaquín Suárez), *"capituló el Directorio, modificó, por mi intervención, la absurda tarifa y se inauguró solemnemente, con una concurrencia de 4.000 personas".*

En el folleto de marras describía *"la gran locomotiva, encabezada, como es natural por la locomotora embanderada* [y seguida por] *ocho grandes salones adornados al fresco,* [tras los cuales rodaban] *catorce espaciosos wagones,* [y cerrando la fila] *cuatro coches de primera categoría... y excuso decir que dos bandas de música, una a la cabeza y otra a la cola del convoy* [amenizando] *la algazara progresista"...* *"¡ocho mil personas lo menos concurren a la gran fiesta!"*

(Como se ve, el hombre no se hace ningún problema con las cifras).

Doblemente –como las bandas de música– accidentada hubo de ser la jornada: el primer accidente en la inauguración del pueblo fue para su bolsillo, ya que a pesar de una *"concurrencia no menor de 4.000 personas"*, los gritos del rematador chocaban contra *"el pueblo impávido",* indiferencia que le resultara *"¡un verdadero Waterloo!... los gastos del remate excedían los $ 3.000 y solo se vendió por $ 6.000, pagaderos, a $ 1 por mes, o sea que obtendría apenas $ 200 por mes, a treinta meses".*

Pero (*"¡faltaba la ñapa!"*, dice Piria) después vendría lo peor: a estar al relator, en el viaje de regreso la carga del tren era excesiva, la lluvia mojaba los rieles, y *"en vano bufaba la máquina... patinaban las ruedas. Yo venía a la cola del convoy, metido dentro del vagón de encomiendas, sentado sobre unos cajones, con mis tres hijos que me acompañaban y a los que siempre llevaba a los remates para que algún día* [al gastarla] **recuerden cómo ganaba su padre la plata**".

El repecho entre Toledo y la próxima estación hace que *"el maquinista eche el resto, carbón y más carbón a la hornalla"*, pero *"la máquina sigue patinando, y en mitad del repecho rompióse una cadena de enganche en la mitad del convoy* [y] *salió volando la locomotora cumbre arriba con la mitad de los vagones mientras que la otra mitad se desprendió a toda velocidad por la pendiente"...* *"¡Aquello fue un momento de terror!"* [En las apuradas]... *"un bárbaro, que nunca falta, accionó un freno equivocado, y murió aplastado por el vagón siguiente... ¡Catástrofe!".* Al fin, el convoy *"se detiene con un barquinazo* [tal que] *muchos cayeron al suelo. Mientras esto sucedía con la peor parte del convoy, la otra mitad que arrastraba la locomotora descarrilaba* [...] *y allí hubo también muertos y heridos".*

Esa noche, al llegar a Montevideo bajo lluvia y a las dos de la mañana... *"lloré de rabia y desesperación".*

Al día siguiente, sin embargo, *"en medio del humo de la derrota, el desastroso efecto de la descarrilada sin ejemplo y el clamor de la prensa* [pronta a las críticas] *yo cantaba victoria, publicando una lista de compradores imaginarios, y haciendo ascender las ventas a* **$ 60.000**. *¡Un cero más! ¡Qué importa!"*

Una curiosa voltereta
y el dinero para Piriápolis

Si bien la paridad del dólar con el peso se había de mantener hasta 1934 (1 dólar = $ 0,98), siendo esta estabilidad la clave más importante para las ventas a largo plazo, no todo fue color de rosa: el país sufrió un duro golpe con la crisis de 1890 provocada por factores internos que precipitara la caída de la casa Baring Brothers de Londres[41].

Apenas dos años antes, se vivían instancias de expansión tan fugaces como febriles: "la época de Reus". Citando al historiador: *"la expansión demográfica, la tecnificación del medio rural, el surgimiento de las primeras industrias"* (tras cuya localización corría el tranvía de caballitos y Piria a fraccionar con su bombo). *"Las inversiones de capitales británicos, provocaron una fase expansiva del ciclo económico"* que se manifestó visiblemente en la *"inversión de capitales en sociedades anónimas,* **la mayoría de ellas destinadas a negocios inmobiliarios**". Cuando reventó el globo inflado apresuradamente, ironizó *Caras y Caretas*[42]:

> *"con el verbo comprar de santo y seña*
> *por títulos y acciones a la greña*
> *andarían los hombres más sensatos*
> [...]
> *Compro cien, vendo mil, suyas, o mías,*
> *gritaba el corredor haciendo farra:*
> *de bancos sociedades y tranvías.*
> *Llegaron las acciones a la parra".*

El hombre fuerte era Emilio Reus, *"empresario arrollador"*, descrito por *La Prensa* como un madrileño *"nimbado de una nube de fama contradictoria"* que empujaba para *"realizar enormes obras, construir edificios fantásticos, barrios enteros, al estilo de algunos que tenía París"*.

El nimbo del que habla el periodista estaba bastante apedreado por las acusaciones de "favoritismo" que le hicieran buena parte de sus contemporáneos, cuando obtuvo, en 1877, la concesión para formar el Banco Nacional de la República Oriental del Uruguay. Pero Reus continuaba empujando y el empuje provocaba alzas desmedidas en los valores de las tierras.

Barrios fundados por Piria en Montevideo antes de 1915*

Año	Barrio	Cant. de solares	
1878	Garibaldi		entre La Unión y el Buceo.
1879	Nueva Roma	s/d	Av. Rivera –junto al Zoológico V. Dolores.
	Castelar	s/d	Av. Rivera –próximo Rivera y Soca al NE.
	Nueva Génova	s/d	Av. Rivera y Durazno, frente al 2000 V.D.
1880	Nueva Savona	82	Américo Vespucio - V. Benavídez - Millán.
	De los Italianos	429	
	Nueva Nápoli	45	
	De los Españoles	81	Av. Rivera y Soca al NE adyacente a B. Castelar.
1884	Artigas	112	Durazno y Av. Brasil.
	Del Buen Pastor	s/d	Alrededor de Miguelete y Cufré y próximo a La Comercial.
	Méndez Núñez	s/d	Junto a Castelar - Rivera y Soca.
1885	Lavalleja	231	
	Larrañaga	75	
	18 de Julio	80	
	Treinta y Tres	80	
	Sarandí	100	Suárez - F. Otorgués, V. Benavídez - L. Obes.
1886	San Martín	66	
1888	Joanicó	150	Cno. Propios al N. Entre el Cerrito y el Arroyo Pantanoso.
	Bella Vista	1000	Cno. Maldonado al N. de la Unión.
	Gral. Garzón	500	
	Gral. Leandro Gómez	200	
	Cnel. Marcelino Sosa	165	
1889	Francisco A. Maciel	160	
	Solís	200	
1890	Bolívar	250	
	Umberto Primero	500	
1891	Gral. Belgrano	200	Sobre Larrañaga, próximo a Villa Dolores.
	Rivadavia	100	Av. Italia y Cno. Cibils.
	Italiano	200	Sobre Larrañaga, próximo a Villa Dolores.
1892	Bella Vista	60	Av. Larrañaga y Av. Italia.
	Belvedere	150	
1893	Ituzaingó	120	

¿Cómo apreciaba ese auge de valores el acriollado hijo de italianos? Vendió todo. Así de sencillo. Y se fue a trabajar para Reus.

Con más sentido común que ciencia económica, le había *"dado pavor la era de movimiento y prosperidad, dada la magnitud de las proyecciones y el pequeño escenario en que se desarrollaban los acontecimientos, y la carencia absoluta de factores que para desarrollar tanta vitalidad sietemesina se necesitaba"*[(43)].

Aquel *"fomento de inflazón de los bienes raíces, que aumenta de día en día sin razón, sin base alguna y solo porque el dinero, como el papel litografiado, aumenta"* lo debe haber aprovechado bien, ya que vendió todos sus terrenos en la sideral cifra de **setecientos mil pesos** a la Compañía Nacional de Créditos y Obras Públicas de Reus

Año	Barrio	Cant. de solares	
1895	Jacinto Vera	234	Br. Artigas y Garibaldi al NO.
	Porvenir	500	
1896	Gral. Flores	176	
1897	Trouville Uruguayo	154	
	Industrial	578	Próximo a la Unión.
1898	José P. Ramírez	247	Rivera y Pereira –frente a Bo. Castelar.
1899	Diego Lamas	77	España y Artigas al SE.
	Tomás Gomensoro	140	
1900	Ayacucho	59	
1902	Kruger	123	Al N.E. de Villa Muñoz
	Miramar	250	
1903	Larravide	130	
1905	Buschental	48	
1906	Progreso	s/d	
	Fortuna	552	
1907	Samuel Lafone	499	Frente a A° Seco, entre Agraciada, Millán, Aguilar y Sta. Fé.
	Costa del Mar	120	Rivera y Buxareo al SE.
	Libertad	150	
	De los Obreros	150	
1908	Plácido Ellauri	200	
	Pérez Castellano	800	Gral. Flores al E. (frente a Cerrito de la Victoria).
	Gral. Lavalleja		
	Carlos Ma. Ramírez	139	
1910	Fraternidad	310	
	Tomkinson	450	
	Ideal	69	
	Jardines de Manga	235	

(*)
1. El primer barrio, de 1878, *surgió de la presente investigación*.
   (Fuente: *Un viajero en el país de los llorones*).
2. El cuadro está tomado del libro. **La expansión territorial**, citado.
3. La ubicación de los barrios la proporcionó el Prof. Álvarez Lenzi.

(*"¡La gran operación del día!"*, titularon los diarios con signos de admiración), mientras *"La oficina de La Industrial quedará para cobrar los saldos de las ventas a plazo que alcanzan a **medio millón de pesos** y que no traspasa el Sr. Piria"*.

Basta comparar las cifras anteriores con los $ 51.000 que pagó dos años después por las dos mil y pico de cuadras iniciales de Piriápolis para apreciar el grado de solidez con que iniciara el *Establecimiento Agronómico*.

Acierta Juan Carlos Pedemonte al comparar el distinto accionar de los fugaces socios. Dice que mientras los emprendimientos de Piria *"se hacen con su dinero"*, Reus, queriendo abarcar mucho más aun, quebró al fin y en su caída arrastró a millares de ahorristas pequeños.

Piria había vendido en 1888. Con gran despliegue de prensa (*"Al pueblo"* titula un largo escrito que pide se *"lea de cabo a rabo"*), en marzo de 1891 vuelve a su actividad de siempre. En el entretiempo había viajado a Europa dos veces y comprado Piriápolis.

Tal vez hubiera meditado también en ese período sobre la desmesura de los precios, aunque fuesen de la mercadería que él poseía: las tierras. Regresó con un plan de bajar los precios a la fuerza: *"cuando nos pagaban $ 2 la vara llenos de entusiasmo dejábamos caer el martillo mandando adjudicar a $ 1; cuando pagaban 8 reales, poníamos 4, y así..."*.

Esta característica es la que más recuerdan las personas que hemos entrevistado. Por supuesto que también era un *"hábil artilugio"*[44], pero vista la experiencia que le tocó vivir con su "compadre" Reus y lo mucho que filosofó sobre ello, es de suponer que ambas interpretaciones son confluyentes.

Polvareda habían sacado también en la época *"las especulaciones escandalosas del Banco Nacional y del Banco Inglés con el empréstito de 1887"*[45]. Alza a la prima el lenguaje de Piria al referirse a esos *"papeles litografiados"*, llámense *"acciones o deuda pública"*, que *"canjeamos con los israelitas de allende el océano, los que en cambio mandan al Río de la Plata a interés usurero las barricas de libras esterlinas..."*, y también lo hace con alguna posible desviación de los empréstitos: *"...los millones prestados se repartían entre ciertos jefes de gavilla imperantes, sin destinarse nada a mejoras públicas y fomento del país"*.

"Las operaciones descabelladas" –así adjetivó el hijo de italianos a los tejes y manejes del madrileño– al fin llevaron a éste a la ruina, mientras que las más largas pero seguras de aquel le fueron aumentando una fortuna que luego sería comparada con las más grandes del país y que se invertiría casi íntegramente en su ciudad de Piriápolis: al morir Piria, en 1933, era mínimo el efectivo en comparación con el capital en inmuebles. El título de la famosa casa central en Montevideo, en el conocido "Sarandí 500", resultó haber sido hipotecado una y mil veces para la obtención de fondos fuera del circuito bancario.

Primeros medios de transporte en los inicios del trabajo. Una carreta por la playa, antes de la construcción de la Rambla. Se ve el primer hotel y, detrás, el Hotel Piriápolis en construcción avanzada. A la derecha, al fondo, borrosos, los chalés.

V

LA CLIENTELA DE LOS SOLARES: GRINGOS, PROLETARIOS Y PAISANOS

La miseria europea y la riqueza americana calzaron como un guante promoviendo el fenómeno migratorio. El mejor testimonio de cómo proteínas y locomoción rolaban por las calles lo encontramos en el llamado que hace Luis Lamas[46] a que se colocaran *"en campos de invernada"* los *"800 caballos y bueyes de **propiedad pública** o de **inciertos dueños** que habían dejado dispersos"* en Montevideo *"las fuerzas beligerantes"* luego de uno de los tantos "barullos" que siguieron a la independencia. No hay que ser muy sagaz para imaginarse cómo impactaría esta situación en quien estaba acostumbrado a comer carne solo tres veces por año.

Pero sí usaron de la imaginación –y del fraude– quienes, organizando el trasiego desde Europa a América para percibir una comisión de las compañías navieras, hicieron creer a sus clientes que aquí se caminaba sobre monedas de oro.

Piria se queja[47] del *"sinnúmero de individuos* [que decían] *que en América el oro se encontraba en las riberas del mar y de los ríos"* y pasa a narrar el cuento de *"un inmigrante que llegó a Montevideo y que a los pocos pasos de haber desembarcado en la Aduana, tropezó con una pieza de 5 francos* [un peso]; *pero, como creía que aquí se encontraban las onzas* [de oro] *por las calles, no creyó oportuno levantar el peso, pues lo que quería era oro* [y aplicó una patada] *dando con la punta del botín en la moneda;* [...] *siguió caminando, pero, las deseadas onzas* [no aparecían], *de modo que, después de haber andado hasta medio día, inútilmente y con los ojos como lince, creyó oportuno volver al patio de la Aduana en busca del peso que había despreciado varias horas antes; pero lo habían madrugado"*.

A esos "gringos" que componían un número fundamental en el negocio de solares a plazos, los enganchaban los "arruolatori"[48] en Italia montándoles una farsa de película: cuenta un juez de paz de los bajos Pirineos que, generalmente los domingos, a la salida de la misa en aldeas perdidas entre las montañas, se apersonaba a la concurrencia –haciéndose el distraído– un hombre muy bien vestido portando una gruesa cadena de oro que le cruzaba el chaleco; *"rodeado enseguida por todos, comienza a exhibir con afectación algunos doblones de oro"* y luego *"aparece un compadre* [que explica] *cómo este hombre no poseía nada hace dos años"* y cómo *"se marchó a América donde hizo una fortuna"* [pues] *"en esta nueva El Dorado no hay más que agacharse para juntar monedas de oro".*

Con seguridad, esa noche *"la familia se reúne junto al hogar doméstico, delibera, y casi siempre resuelve la expatriación".*

Aclara el historiador que no solo el hambre fue la causa de la migración, sino que también parte de la población de Italia (la meridional)[49] estaba *"ceñida por el latifundio, la malaria y el bandidaje"* que en el lenguaje de Piria se transforma en una unívoca *"situación Medieval"*[50]. Además, cuando Piria, a fines de siglo[51], comenta que *"visitaba a Europa"* [...] *"buscando una jaula para mis cachorros"* (un lugar donde educar a sus hijos), al cabo se debe de haber decidido por los colegios suizos y no por los de su amada Italia a causa de las convulsiones políticas allí reinantes que, pasando por los "fatti di maggio" de 1898 en Milán[52], desembocaron en 1900 en el asesinato de Humberto I.

Siendo el hombre profundo conocedor de su gente, por su actividad como vendedor de tierras, su espíritu lector e inquieto y sus permanentes viajes a Italia, es muy de tener en cuenta su opinión cuando anota un "cambio" en la actitud de los napolitanos que hasta aquí llegaban.

En efecto, dice que: *"Después de la degringolada del 75"* (los inmigrantes huyeron masivamente hacia el Brasil durante el "año terrible" de 1875), *"ha cambiado notablemente la clase de individuos que adquirían propiedad entre nosotros. El napolitano que [...] no se arraigaba en el país de ningún modo [porque] viviendo lleno de privaciones, juntaba sesenta u ochenta libras esterlinas y huía al seno de su patria, [...] hoy es el gran elemento. [...] El napolitano se*

Viajar al Este era toda una aventura y Piria invitaba.

arraiga en el país, compra un terrenito, construye una casita, se casa y ya no se va; ¡el setenta por ciento de nuestros compradores son napolitanos!"

Si bien reconoce que realizaron al principio prácticas comerciales no demasiado limpias, *"recorriendo los campos cargados de cuadros, rosarios, espejitos y mil chucherías"* (los "turcos" de la campaña) aprovechándose de los *"paisanos incautos"*, luego le sale a la cruzada a Vaillant quien había estampado en sus **Apuntes Estadísticos** que *"para la clase inmigrante que llamaremos Nómades, tales como músicos ambulantes, limpiabotas, etc. no hay lugar en el Plata"*, diciéndole Piria: *"...ese limpiabotas se transformó en remendón, se metamorfoseó en zapatero, y estableció casa"; ..."muchos que hoy son propietarios de buenos establecimientos... ¡comenzaron lustrando botines!..."*

Situación de los paisanos

> *"las estancias de hoy en día...*
> *las estancias de hoy en día*
> *ya están todas alambradas;*
> *ya no hay haciendas alzadas,*
> *ya no hay potros que domar..."*

se quejaba la cifra que popularizara Amalia de la Vega, diciendo luego que

> *"bajo el ombú solitario*
> *el gaucho no toma asiento*
> *pa' templar el instrumento*
> *en unas décimas cantadas".*

Una campaña que se alambró en un tiempo récord –entre 1872 y 1882 se alambraron 1:178.480 cuadras, el 87% del total, y al decir de la Asociación Rural, *"solo cinco años han bastado para realizar por completo el cierre de la propiedad"*[(53)]– expulsó a miles de gauchos, agregando así a los inmigrantes un importante contingente de personas, factible de adquirir los solares de Piria y, asimismo, sumarse a aquellos como mano de obra en el emprendimiento agrícola y urbano de Piriápolis.

Así como la producción subió al doble casi inmediatamente, la mitad de la población rural quedó sin trabajo.

El rematador apreció que además de la notoria ventaja económica, el alambrado *"pone un freno al abigeato, es una barrera a las revueltas y un encaminarse en el sendero del progreso"*.

(Quienes han andado alguna vez en las tareas de campaña, saben el progreso que significa el alambrado, y cómo se equivocó el autor de *A desalambrar*, tema tan repetido inocentemente por la muchachada montevideana. Si se quiere que haya muchos Juanes y Marías, justamente al alambre es a lo que se debe recurrir y no a la llave de alambrar para deshacerlos).

También esperaba Piria que el Progreso continuara (ahí erró) y después vinieran las Intendencias a *"trazar vías públicas... y puentes y calzadas* [para que] *como consecuencia lógica viniera la subdivisión de esas grandes zonas de tierra"*.

El gaucho marginalizado que no tuvo como destino el empleo público del ejército (a las buenas o a las malas, levas mediante) tuvo como único freno para acceder al mercado de trabajo –abundante merced a la progresiva industrialización del país– su propia cultura; el campo no se "trabaja" sino que se "cuida", y razón tiene Barrán cuando aúna el juego, la diversión, con el quehacer campestre.

Si bien la sociedad y el Estado no buscaron una solución adecuada para tantos orientales (se aplicó una ley contra la vagancia –sin resultados– y se proyectaron *"asilos de desocupados"*), exageraba el dirigente de la Asociación Rural, Domingo Ordoñana, al catalogarlos de *"laya de gente que no sabe, no quiere, no puede, y por fin, no hay Dios ni Roque que la haga trabajar"*. Aunque también fue muy real la resistencia del desplazado a sujetarse a trabajos *"de a pie"* y con horarios; la ocupación preferida por el criollo de las cercanías de Piriápolis fue procurar al "tourista" caballos de alquiler, que en un número cercano a los doscientos se llegaron a utilizar en aquellas lejanas "épocas de oro". En fin, inmigrantes u orientales desplazados de la campaña, ambos integraban el núcleo de "**proletarios**" para quienes pedía Piria *"vida barata y trabajo bien remunerado"*. En su libro **Un viajero en el país de los llorones**, luego de trazar un cuadro patético de la familia de un general patriota que quedó sumida en la miseria, y colocar a la viuda en situación de *"implorar perdón a los pies de un mercenario"*, se pregunta: *"¿Es un crimen ser pobre?"*, para extenderse luego en una larga parrafada sobre quien se viera en la necesidad de *"implorar la caridad pública para mantenerse y mantener a sus pequeños [...] sin más abrigo que unos míseros harapos"*.

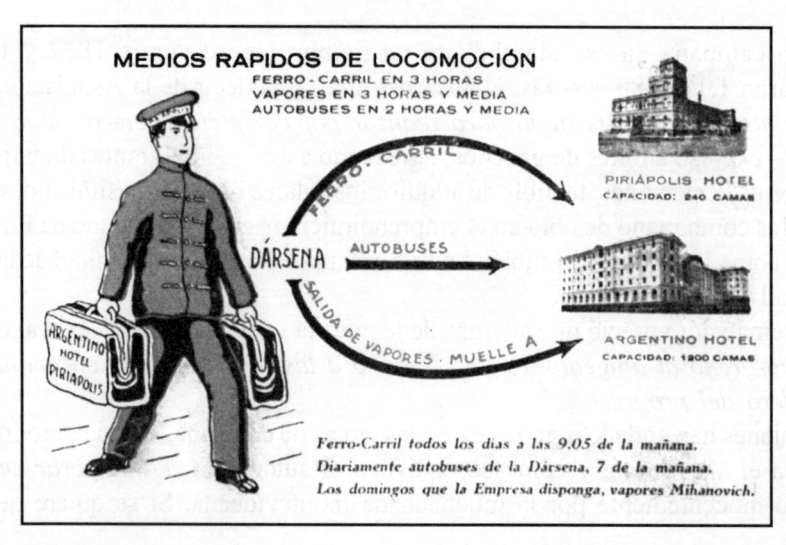

VI

LOS VIAJES A MALDONADO Y PAN DE AZÚCAR. COMPRA DEL CAMPO

Don Policarpo Piedrecilla, la creación literaria de Francisco Piria que siempre lo acompaña en sus narraciones de viajes, también lo acompañó en aquel madrugón que se viera obligado a dar para tomar el tren que salía a las 6:30 de un domingo de febrero de 1890.

Este curioso "alter ego", al que dice estimar y querer *"por las bellas cualidades que lo adornan"* y cuya falta de instrucción *"tiene compensación en su corazón de oro y un criterio nada vulgar..."*, es el costado criollo de Piria. Lo presenta como un gordo *"campesino argentino"*, campesino típico que en los viajes a Europa lleva una valija de madera conteniendo el indispensable *"samovar"* para tomar mate y al cual, literariamente, lo usa para mezclar en el relato anécdotas risueñas, tal como la vez que en Roma, confundido por el naturalismo de la escultura clásica da en saludar a algunas dentro de un templo para quedar luego colorado como un tomate al comprobar la equivocación, o bien para dar la versión popular y simple, como Sancho Panza, de las expresiones cultas del relator: habiéndose arrebatado éste[54] contra papado y monarquía, criticando duramente las ambiciones humanas luego de aclarar que dejaba fuera de la crítica al *"santo varón"* del *"Obispo Vera, que repartía entre los pobres cuanto poseía"*, le sale a la cruzada Policarpo: *"...¡¿Para que va a emplear carillas de papel para decir lo que en dos renglones puede decirse!? Si el mundo es un queso podrido y los hombres los gusanos, ¿quién es capaz de sanar al queso?"*

En esta primera "Excursión al Este", como tituló la descripción del viaje en su diario, el tren los dejó *"a las once y pico"* en Minas. Dos veces deben de hacer noche en el trayecto de Minas a San Carlos, marchando por *"lo que inpunemente se llama camino y es apenas una senda"*, a los *"barquinazos del break"* que hacen imposible *"saber a dónde nos lleva, trepando encima de los escollos"* o *"despeñados por los barrancos, milagrosamente cerca de los precipicios"*. Durante la primera noche se pierden; la noche era de *"la más completa oscuridad"* y los *"nubarrones densos"* que no dejaban pasar *"ni la luz de una estrella"*, los obligaban a iluminarse apenas con el *"resplandor fugaz de los fósforos del guía y*

el cochero". De pronto se orienta el baqueano *"que por el olor del pasto conocía el sitio en donde se hallaba y dice:*
 —¡Aquí está la tranquera de lo de ño Juancho!"

Los viajeros tienen hambre, y para saciarla llevaban *"una valija llena de comestibles; pero faltaba pan y sitio donde cenar"*, y el dueño de casa, *"una especie de hombre que se asemeja a una caña tacuara por lo largo"* no los invitaba *"ni a sentarnos"*.

Comienza entonces Piria a darle el tratamiento de "doctor" a Policarpo; "ño Juancho" para la oreja y piensa que mal estaría desaprovechar la ocasión de una consulta gratuita y, solícito, acomoda a los viajeros los enseres para que puedan cenar con comodidad. Luego de haberlos servido, expone al "doctor" sus males y recibe un diagnóstico: *"principio de pulmonía"*, y la terapéutica: *"una tisana de barba de choclo y untarse con grasa la barriga y las coyunturas todas las noches"*. Justifica el narrador la estratagema inocente (después de todo las consecuencias del flaco Juancho engrasado la pagarían las sábanas y la esposa), agregando que en Italia le daba el título de *"marchese"* (marqués) para ser mejor tratados en los hoteles, por aquello de que *"la humanidad se paga siempre con el sonido del bombo y de la farsa"*.

Sin otros incidentes notables llegan al otro día a San Carlos, al que encuentran *"bastante animado"*, con *"mucho movimiento comercial"*, y poblado por *"vecinos muy atenciosos, gente buena"*, donde almuerzan (seis personas *"por la miserable suma de 42 reales"*, la mitad que en Italia) para seguir viaje luego a Maldonado.

"¡Maldonado... hoy por hoy debiera llamarse Abandonado!... hasta los perros duermen panza arriba!" La ubica *"fuera del movimiento terrestre por quedar a trasmano, alejada del movimiento marítimo a causa de los inmensos médanos y montañas de arena que amenazan tragársela"*, tal vez airado por *"haber reventado dos yuntas de caballos de tiro en la travesía del tremendo arenal"*.

Pero, vuelto del insuceso equino, regresa a su visión "progresista" del futuro, y dice que Maldonado, a ojo de buen cubero, el año 2000 *"no tendrá menos de 150 o 200 mil almas [...] y no se ría el lector retrógrado... pues a pesar de todos los lloriqueos y lamentos, y aquí caigo y aquí me levanto, ¡el país marcha!"*, continuando luego con una prolija relación sobre los precios de venta de los campos, único indicio hasta ahora de que tenía en mente su adquisición.

Pero mucho más que *"alejado del movimiento marítimo"*, el juicio de nuestros antepasados sobre Maldonado era lapidario. Julio María Sosa, desde *Rojo y Blanco*, decía[55]: *"Sin duda, ese Departamento **es lo menos conocido de la República** [...] vegeta en un aislamiento casi absoluto; su comunicación con Montevideo, exceptuando la vía marítima, es tardía y difícil, pues los caminos y los ferrocarriles solo llegan hasta La Sierra"*; Juan P. Ortega desde la estancia "Las Carolinas"[56] escribía que *"han tenido que emigrar gran número de artesanos, agricultores, y hasta administrativos [...] a otro punto más próspero que este"*, ya que *"la miseria vuelve a golpear... etc."*, mientras que la situación, reflejada en cifras, daba un muy débil crecimiento vegetativo de la población.

A Piriápolis

Aunque de ingrato comienzo, culminará felizmente el viaje realizado en marzo de 1890.

Con dos grados bajo cero tomó mate esta vez Policarpo (bebida resistida por Piria que lo llama *"el vermouth criollo"* y que *"asentara"* el *"alter ego"* con *"una rociada de ginebra"*), a las cinco y media de la mañana, para alcanzar el tren que partía a las seis y media desde la Estación Central de Montevideo rumbo a Montes[58].

A las 10 de la mañana, en Montes, cambian el rodado de hierro por el de madera dura de *"la diligencia del Sr. Ramella"*, y a las doce "caen" al arroyo Solís, que no debería de estar muy changa, ya que los pasajeros deben cruzarlo en bote y la caballada pasa de nado. Los asientos mojados y un *"pedazo de carne que por lo dura y seca debió ser de algún buey viejo"* que tuvieron que comer en Solís de Mataojo fueron los malos augurios que anticiparon aquel *"ciclón de viento y agua"* que los *"envolvió al entrar en el desfiladero de la Sierra de las Ánimas"*, cuando *"el sol, indignado contra los municipios de campaña, creyó prudente retirarse detrás de un manto de espesas nubes"*.

Después de una hora y media de marcha *"en medio de los desfiladeros de las sierras"*, se llega al arroyo de Pan de Azúcar.

El arroyo no da paso; y viene creciendo. La alternativa es clara: o intentan el cruce rápidamente o hay que regresar hasta vaya a saber qué posada y hasta cuando. Luego de unos nerviosos cabildeos, deciden arriesgar, y *"cayeron al río como un cajón largado desde un quinto piso"*; allá fueron *"los caballos de nado y los caballeros con el agua a la rodilla"*. Luego del primer envión, los caballos hacen pie en un banco de arena que hay en medio del arroyo. Resollando, ahí se quedan, a pesar de *"los gritos y los látigos"*. El agua crece. *"¡Nunca me he visto más cerca de la muerte!* –dice el viajero–, *expuestos a que el torrente nos arrastrara con caballos y vehículos, sin pizca de escapatoria... en medio de dos canales cuyas aguas subían de nivel rápidamente"*. El hombre reflexiona: *"¡Qué forma más tonta de morir!"*

Con Ramella a los palos con los matungos, los cuarteadores sin poder concretar una acción efectiva y el agua que sube con la lluvia que no cesa, habría que dar crédito al pánico del narrador, si no exagerara, claro. Así las cosas, los cuarteadores alargan las cuartas hasta que, haciendo pie sus cabalgaduras, *"dan un tirón a la diligencia, que boyando y con los caballos medio ahogados, iba aguas abajo arrastrada por la corriente..."* *"[Por un milagro] ¡los cuarteadores acaban de salvarnos!"*, concluye con signos de admiración.

La llegada a Pan de Azúcar, para completar el negro y aguado día, no es de las mejores, ya que el pueblo estaba agitado a causa de que *"Eustaquio Sensión había amenazado con su revólver a su convecino Pedro de León"* y también el comisario José Romero hubo de andar con el arma en la mano para calmar los ánimos.

Luego de haber descansado (de la fatiga y de los sustos) en la fonda *"de los Catalanes"* –que además era confitería, hotel, panadería y botica–, al otro día se dirigen *"hacia el puerto del inglés a ver los campos que acababa de adquirir La Industrial para hacer en ellos ensayos de plantaciones forestales y plantas de olivos, castañas, parras, y pesos"*, acompañado por Brum, el esposo de Nícida Olivera, quien en dichos campos esperaba al comprador[59].

Un platal tuvo que pagar el hombre, de acuerdo con los precios de la época, y más aun teniendo en cuenta que el precio fue referido a valor oro en un momento en que Piria estaría recibiendo –probablemente– por sus ventas de solares, una moneda-papel fuertemente devaluada con respecto a su valor escritural.

En efecto, el valor del campo ganadero de la época, y más para un campo ordinario desde el punto de vista de la calidad de sus pasturas –a gatas medianamente "criador", muy lejos del campo "invernador", de "finas gramíneas", que describe Juan P. Ortega desde La *Tribuna Popular*[60] por amor al terruño o con fines propagandísticos– oscilaría, cuando mucho, en los $ 10 la cuadra, a distancia muy considerable de los $ 18 y $ 23 que hubo de pagar el rematador por las dos fracciones que componían el lote.

Para fundamentar el precio estimado de $ 10, hay que tener en cuenta que:

1) El propio Piria describe las oscilaciones de los valores durante la *"década infame"* que hacía poco finalizara, diciendo que los campos habían llegado, durante los momentos de especulación, hasta un máximo de $ 12 y $ 14 la cuadra, y hay abundancia de testimonios sobre la baja de los valores durante la crisis de ese 1890.

2) El aforo para la Contribución Inmobiliaria ("Contribución Directa" por aquel entonces) otorgaba para Maldonado un aforo de $ 6, el penúltimo en el país (con $ 9 la cuadra estaban aforadas las tierras más caras, del sur cercano a Montevideo y del litoral oeste).

3) Una tradicional –y sabia– equivalencia, relaciona la cuadra de campo con su contravalor en ganado (los dos parámetros reales de producción): el valor de la cuadra de campo es equivalente, peso más o menos, con el valor de un novillo adulto, o "formado". Florencio Escardó, en su **Reseña Estadística**[61], engloba al precio de "bueyes y vacas" en 50 francos, que en su relación con el peso de 5 a 1, arroja una cifra de $ 9 a $ 10. Estos valores son fácilmente corroborables con los precios de la hacienda que registra la prensa del siglo XIX.

El total de cuadras (1 cuadra son 100 varas cuadradas, el equivalente a 1 ha por 0.7379) adquirido en 1890 a Nícida Olivera, hija de Leonardo Olivera, fue de **2.460**, o sea 1.825 ha, y no las 2.700 cuadras que figuran en toda la literatura sobre Piria. El error arranca de lo que el mismo Piria dice, pero probablemente no por contradecir la escritura con meros fines *"bombásticos"*, sino porque así se lo debe haber manifestado el propio Brum al hacer el compromiso. Efectivamente, 2.700 cuadras son una "suerte" de campo, y justamente para hacer las cosas bien, se pagó una seña de $ 10.000 (sobre un valor total de $ 51.058.04) el 5 de julio de 1890, estableciéndose la escritura más adelante (la firmaría su apoderado José Zengotita, el cinco de noviembre, mientras Piria recorría Europa) para dar tiempo a que los agrimensores **mensuraran y deslindaran** el campo correctamente: podrá haber pagado un "buen precio", el hombre, pero a un profesional de los negocios inmobiliarios de su calibre no le irían a cobrar más campo del que en realidad era.

Durante el mismo mes de julio en que Piria seña el campo, el Banco Nacional de su socio, Reus, no pudo convertir los billetes que había emitido[62] y el Estado corre en su auxilio, decretando **la inconversión** y el **curso legal**; el arrastre de la medida hace depreciar el valor del papel moneda con respecto el valor del "oro señalado" que le exigían a Piria por el inmueble adquirido. Al no haberse encontrado los libros de contabilidad de *La Industrial*[63], no se puede afirmar con exactitud qué criterios siguió con respecto a la aceptación del papel moneda que recibía por sus solares; el papel fue resistido eficazmente por el comercio en general, a pesar de que el gobierno quiso imponerlo por la fuerza. Lo que sí está fuera de toda duda es que unos meses después, luego de que en marzo de 1891 *La Industrial* retomara el camino de los negocios momentáneamente suspendidos, la empresa de Piria anunciaba con grandes avisos en la prensa[64]: *"Se reciben billetes de todos los bancos por su valor escrito"*, aviso anti-inflacionario que permaneció durante todo 1891.

A esta distancia en el tiempo, la conjetura más aceptabe para explicar el alto precio pagado –por supuesto que nadie soñaría, como no lo soñó siquiera en ese momento la fértil imaginación de Piria, en un mayor valor por las playas– apuntaría al prestigio minero de la zona. El jerarca de gobierno Ruperto Fernández[65] había informado hacía muy poco del "boom" del registro de minas en Maldonado, y la abrumadora mayoría se situaba no muy lejos de Pan de Azúcar.

¿Cómo impresionaría el paisaje desde esa cumbre? Siguiendo al narrador[66], *"el aspecto panorámico es sorprendente [...] encantador... En la cumbre del cerro hay una fuente de agua cristalina purísima, a medio camino de la cumbre encuéntranse palmeras y **cocoteros** [?] colosales, [...] y en la mitad del cerro hay un ancla de hierro de hechura antiquísima y muy pesada que según cuenta la tradición fue llevada allí por los indios"*. Como comprenderá el paciente lector, en ciertos planos al hombre no hay con qué darle. ¿Literatura propagandística, cuando estaba harto lejos de concebir el balneario? ¿Recurso estilístico para amenizar el relato? ¿Simple afición al fantaseo? En todo caso, el investigador reconoce que no se tomó el trabajo de rastrear el ancla, ni cómo se generó una de las tantas "leyendas" que se adjudican a Piria: la importación de camellos para recorrer los arenales. (¿Habría que haber investigado, si en lugar de "cocoteros" hubiese colocado palmeras de dátiles en la cumbre del Pan de Azúcar?).

Si bien no escapó a sus ojos la *"excelente playa balnearia"* de aquellos campos adquiridos para hacer *"pesos"* con la *"explotación de los olivos, castañas y pa-*

rras", sí miró con mucho más atención las *"moles de granito blanco* [en realidad sería el granito rosado el más abundante] *de la clase más rara y finísimo"*, proponiéndose ya llevar un *"trozo para ver si es fácil elaborarlo de la misma manera que en Europa, para en tal caso plantear en el país una industria que abriría una nueva fuente de producción"*.

Al *"puerto del Inglés"* ya le encontró el defecto de *"estar completamente abierto a los vientos del Oeste y el Pampero"*, estigmatizándolo inmediatamente como *"un puerto solo de nombre"*.

¿Un puerto de quién y para qué? En **Reisebilder**[67], nueve años después, Piria diría que se le llamó así *"desde que los buques ingleses que se dedicaban exclusivamente al tráfico de negros con Buenos Aires hacían escala en él para cargar cueros, a cuyo efecto se había construido allí un pequeño muelle"*, mientras que Luis María Güinasso en **Uruguay, tibia Arcadia**[68] extiende la información diciendo que lo utilizarían *"corambreros de la factoría del inglés Deninson"*.

La cartografía consultada indica que mientras que en el plano de 1841 editado en París por el *"cónsul de Francia y dedicado al Exmo Pte. Gral. Fructuoso Rivera"* solo se registra el Cerro de Pan de Azúcar, en el mismo año, en el *"construido por Justino de los Santos de acuerdo a las indicaciones hechas por Orestes Araújo"* se establece ya el Puerto del Inglés al pie del cerro del mismo nombre (hoy San Antonio, bautizado así por Piria para que los novios peregrinasen a su cima), así como los cerros del Toro y de los Burros.

Veintiséis años después, en 1876, el Sargento Mayor G. Monegal confeccionaría uno que señala, de Este a Oeste, el temido *"banco de Solís"* frente a Jaureguiberry, la *"punta de Pan de Azúcar"* (?), la Punta de los Burros (hoy "punta Zolezzi", en playa Grande), y ya en Piriápolis, el Puerto del Inglés seguido de la Punta del Imán, Punta Rasa y Punta Negra.

Al rascar cualquier título de la época, uno se da de bruces con la Historia. Vencido Artigas, *"el desconocimiento generalizado a toda propiedad nacida del Reglamento Provisorio es tal, que nadie se anima a recordarlo"*, dicen los historiadores Nelson de la Torre, Lucía Sala de Touron y Julio Rodríguez[69]. Señalan que, luego de los conocidos avatares bélicos y políticos, y *"deshecho bajo la Cisplatina"* el primer reparto, fueron expulsados *"más de 10 poseedores, entre los que se hallaban el Capitán Pimienta y el legendario oficial Leonardo Olivera"*. Pero éste, distinguido *"por encabezar grandes operaciones de arreos de ganados riograndenses"* y por *"su extrema pericia en el ejercicio de la apropiación de vacas"* implementó, por este recurso *"una nueva forma de apropiación del suelo"* que le permitió poseer muchas más tierras de las que comprendía *"su vieja suerte de estancia del Potrero"*. Así, *"de las 8 leguas 2.366 cuadras en que fue calculada la superficie del Potrero de Pan de Azúcar, 5 leguas y 950 cuadras habían pasado a manos de Leonardo Olivera, mientras los otros 14 poseedores se repartían 3 leguas y 1.416 cuadras"*.

Las tierras adquiridas por Piria, sin embargo, escapan a este origen, ya que la documentación manejada por el escribano autorizante indica que el legendario patriota las adquirió a Félix de Álzaga, trapisondista poseedor de enormes extensiones en Argentina y Uruguay quien recurría al más cómodo arbitrio de "negociar" con los débiles gobiernos de la época, sin molestarse en subir a caballo para tropear ganado brasilero.

Dos de los chalets construidos por Piria para alquiler. Postal de la primera década del siglo XX. Gentileza del Sr. Rolf Nussbaum.
Arriba los mismos chalés situados en el extremo este de la Rambla de los Argentinos, en una fotografía publicada en el folleto "Piriápolis", del año 1919.

VII

EL ORO DE LA TIERRA: ESTABLECIMIENTO AGRONÓMICO PIRIÁPOLIS

A velocidad de vértigo (como el "Pancho López" de la canción mejicana: "chiquito pero un ciclón"), el rematador de la nariz de punta gruesa y sombrero echado a la nuca, en julio y agosto de 1890 no debe de haber perdido tampoco el tiempo: parte a Europa (posiblemente alrededor del primero de setiembre, pues el viaje duraba veinte días y la primera carta al diario está fechada en Italia el 20 de ese mes) con muestras de granito y de tierra, y con un conocimiento en minería y agricultura mucho más que libresco.

Quien deseaba que sus contemporáneos encontrasen *"la fórmula"*[70] de *"aprovechar los dones fecundos de la naturaleza"* y no *"las ruletas de la Bolsa que empobrece y embrutece"*, no había pasado indiferente frente a los *"dones"* que ofrecía la Naturaleza en materia de minerales y en donde los hombres, justamente en la tierra que había transitado durante largos días en las traqueteantes diligencias y "breaks", habían hecho agujero tras agujero, excavación tras excavación, sea en procura de oro –los más ilusos–, en procura del oro del mármol y el granito –los más prácticos–, o los ingleses en procura de carbón para las locomotoras.

El oro de verdad (y no el contrabandeado desde el Brasil que hizo figurar al Uruguay como fuerte "exportador" mientras que la única pepita que se conocía la tenía el bolichero de Isla Patrulla) se encontraba y se explotaba a fines del siglo XIX desde zonas muy lejanas a las sierras de las Ánimas: desde San Gregorio informaba la prensa la exportación *"de un pan de oro de 22 libras"* y que era el *"número 28"*.

En tanto tal cosa sucedía con el metal amarillo, el remate de **ocho minas de oro** se anunciaba con grandes titulares[71] por parte del rematador Enrique P. Torres, para promocionar la venta de **ocho canteras de granitos** en La Paz, dado que *"el estado floreciente del país"* encaraba *"obras de magnitud"* de acuerdo con el *"gran progreso"* que se patentizaba en *"la construcción del Puerto, el Teatro Nacional, la Universidad"*, etc.

Pocos años antes de la recorrida de Piria, la Liga Industrial había encomendado a Ruperto Fernández un relevamiento de *"las minas descubiertas en el Departamento de Maldonado"*. Cuando Fernández descubre, *"luego de arrancar varios árboles"* y *"después de extraída una gran piedra"*, una galería que bien puede datar de principios de 1700, exclama: *"¡Cuánto valle, bosque, árboles maderables, riqueza, excelente clima y cuánta ventaja natural!... ¡Acaso* **la riqueza de las minas de Pan de Azúcar** *venga a ser el motor de esta evolución, verificándose algo parecido a lo que transformó California!"*

(Descansen en paz los huesos de Ruperto Fernández sin enterarse de lo que sucedió al "motor" de la Mina de Valencia, en la misma serranía).

Se presenta a continuación el resultado obtenido por el relevamiento ya que (al pan, pan y al vino, vino) es el modo más gráfico de ponernos en los parámetros que estaría barajando el Piria de 1890:

Año Registro	Clase	Descubridor	Nombre	Observaciones (paraje)
1878	Cobre	Peraldi, Cabal y Cia.	La Oriental	Puntas de Pan de Azúcar
1878	Hierro	Juan Dixelle Hnos.	La Uruguaya	Sarandí (Solís de Mataojo)
1879	Oro	Barbarena y Moreno	sin nombre	Rincón de Píriz, San Carlos
1879	Turba	Justo Maeso	sin nombre	Ejido de S. Carlos
1880	Cobre	Isidoro de la Cruz Martínez	Cervantes	Puntas de Pan de Azúcar
1880	Talco	Carlos Martín	sin nombre	Mataojo
1880	Cobre	Jefferies, Ferreira y Bonilla	Esperanza	Puntas de Pan de Azúcar
1880	Cobre	Fo. Bonilla	Uruguaya	P. de A. Campos de Suc. Sosa
1880	Talco	Juan Franco	sin nombre	Mataojo
1881	Turba	Méndez, Umérez y Cía.	sin nombre	Próxima a la Playa de la ciudad
1881	Turba	Luis Andreoni	sin nombre	Costa del Puerto
1881	Cobre	Manuel Layes y Magallanes y Cía.		Puntas de Pan de Azúcar
1881	Cobre	Fo. Navarro	sin nombre	Puntas de Pan de Azúcar
1881	Cobre	S. Rodríguez Hnos.	sin nombre	Puntas de Pan de Azúcar
1881	Cobre	J. Goycoechea	sin nombre	Puntas de Pan de Azúcar
1881	Cobre	Rafael Ferreyra y Cía.	sin nombre	Puntas de Pan de Azúcar
1881	Cobre	Alejo Aguirre	sin nombre	Puntas de Pan de Azúcar

En tanto tal información se daba del cobre, la turba, el talco y el oro, Piria debe haber conocido también el informe que había efectuado años antes[72] el *"ingeniero de minas y geólogos Carlos Twitw"* (quien había encontrado correcta la denominación de la "Suiza Oriental" para la zona comprendida entre Minas y Maldonado, tal la expresión *"de pluma de un reciente escritor"*), y ya comenzaban a salir los primeros granitos desde Piriápolis a Buenos Aires cuando el *"agente especial del gobierno alemán"*, doctor Guillerman, *"luego de prolijas exploraciones realizadas durante siete meses"* auguraba que el Uruguay se transformaría *"en un día no lejano en una de las más importantes repúblicas de América"*, merced a los *"tesoros aún no tocados de sus metales,* **pórfidos, granitos***, piedras preciosas, estratos carboníferos, calizas y tierras industriales"*.

También el fenómeno del oro de California lo tenía presente el minero que daba sus primeros pasos en la actividad, pero en sentido contrario al de Fernández: *"Es un grave error creer que un país sea rico porque encierra en su seno grandes minas de oro. Las verdaderas minas de oro son el oro que crea el trabajo del hombre"*, opinaba, y que *"California no fue rica mientras corría el Pactolo a grandes torrentes en todo el país* [sino cuando] *los filones de oro se agotaron* [y] *abundó el brazo y se explotó la tierra"*[73].

En su viaje inmediato a Europa, pues, visita canteras de granito[74], asombrándose de que *"se trabaja como si fuera mármol, cortándolo en grandes chapas [...] como quien corta queso"* y ya pensando en *"maquinarias que hacen el trabajo en gran escala"*.

En realidad el trabajo en gran escala, que lo hará titular un folleto con un elocuente *"¡El triunfo de Piriápolis!"*, recién tendría lugar cuando su ferrocarril transportara el material de su cantera a su puerto, en 1916.

Comienza a andar el establecimiento

Los bueyes fueron los motores, en los comienzos, que arrastraron a aquellas carretas vistas por el extranjero como *"mastodontes de la carretería, que parecen exhumadas de las capas seculares de la antigua barbarie gala* [y para cuya construcción] *empleaban todo un árbol: una viga entera para lanza, otra viga para eje, y no sé cuántas ramas gruesas para llantas y rayos de las ruedas, que tienen diez pies* [más de tres metros] *de diámetro"*[75].

En un par de decenas de años los ferrocarriles terminarían con aquel popular (y único) medio de transporte de carga que se registraba anualmente en Montevideo en número promedial de veinticinco mil, transportando cueros, principalmente.

Los enormes mastodontes de madera tirados por varias yuntas de bueyes, y conducidos por el hombre que portando la picana de caña caminaba a su lado (Piria no permitía que viajaran encima del vehículo), fueron la tónica viva del paisaje por larguísimos años. Toda la piedra que requirió la ciudad hasta 1913, los adoquines de la rambla y avenidas, la piedra para la muralla de contención de la rambla, para la construcción del Hotel Piriápolis y los grandes chalés, fue transportada a rueda de carreta.

Los carros de cuatro ruedas, tirados por varias yuntas de percherones, según el memorioso "correísta" (empleado de correos) Pérez, también siguieron prestando servicios hasta mucho después de que las máquinas a vapor surcaran por varios ramales la ciudad en construcción con el estruendo de su respirar agitado, el sonido agudo del pito y las nubes de vapor que subían a la atmósfera mezcladas con el chisperío de la chimenea.

Durante el medio siglo en que la única municipalidad fue la de Piria, según Pérez, *"el balastro se repartía en carretas, luego pasaba una aplanadora a vapor y otra carreta que portaba un tanque humedecía las calles, que estaban mejor que ahora"*.

En apenas cuatro años, entre 1890 y 1894, Piria forestó el predio, implantó los viñedos (entre 150 y 200 ha), comenzó el "Castillo", tuvo un lío de mi flor con el

Gobierno por el asunto de "los vales", cosechó 40 cuadras de tabaco y se casó en segundas nupcias con María Emilia Franz en Pan de Azúcar.

Habíase casado por vez primera a los diecinueve años, unos meses antes de abrir la tienda del Mercado Viejo[76], con la criolla Magdalena Rodine Crosa quien le diera en poco tiempo sus cuatro hijos "legítimos" (va el entrecomillado para distinguirlos de Carmen Piria, de aparición posterior y legalizada como hija natural): Adela, Francisco ("Pancho"), Lorenzo y Arturo. Falleció tempranamente Magdalena Rodine (el amor de su vida y cuyos huesos yacen junto a los de Piria en la tumba que éste mandó hacer con la escueta y romántica leyenda de "Yo y Ella" en 1880[77], año al cual siguieron veintidós años de viudez hasta que, luego de conocer a la yugoslava Franz en uno de sus viajes a Europa, la desposa en Pan de Azúcar, elocuente señal de su afianzamiento en la zona.

Alrededor de "La Central", la oficina de administración en el cruce del camino que conduce a Pan de Azúcar con el que comunicaba con la última estación del ferrocarril del Este, "La Sierra" –hoy la panorámica Ruta 73 a Las Flores, más conocida con el nombre de "Camino viejo a Las Flores"–, y a tres quilómetros de la costa, se asentaron los núcleos vitales del Establecimiento Agrícola de 1890 (Establecimiento Agrícola y Balneario unos años después): las canteras en la falda Sur del cerro, los Talleres en donde es hoy la Reserva de Fauna, la residencia de Piria (el Castillo), las viñas rodeadas de olivares, la bodega y los viveros.

Si Piria dice en 1893 cuando el problema con el gobierno, que peligra la fuente de trabajo de **doscientos** trabajadores, y luego describirá el Establecimiento diciendo que *"no bajan de 150 hombres [que] trabajan en la vendimia, en la bodega, carreros, aradores, peones de albañil, etc."*, habrá que calcular en alrededor de **100** el personal ocupado (vista la ligereza *"bombástica"* que tiene el patrón para las cifras), que debería aumentar zafralmente durante la vendimia. (El libro de 1899-1900 registra de 80 a 90 personas recibiendo sueldo fuera de zafras; sin duda con los años y el desarrollo de las canteras y el balneario, las cifras pasaron a 400 y luego a 800 ó 1.000 cuando las obras del puerto y del **Argentino Hotel**).

La gente se dividía en "ché-canario" y "ché-gringo", que así era el campechano trato que daba al personal[78] el rematador, según fuesen criollos o extranjeros.

Los criollos lidiaron caballos, bueyes, carros, carretas y trabajaron en la viña, mientras que los "ché-gringos" tenían a su cargo las especializadas tareas de la piedra –donde llegaron a ser hasta el 90%, según testigos–, la carpintería y otros oficios menores.

Hasta que en un lejano aún 1915 no implantara Batlle la ley de ocho horas, que fuera acatada con retraso en Piriápolis –luego de una huelga general–, el extenso horario laboral no permitía al personal tener su vivienda lejos del lugar de trabajo. Es así que se registran tres zonas de vivienda dentro del Establecimiento: los *"primeros pobladores encargados de los trabajos rurales"*[79] vivieron *"en los ranchos que se ven en las proximidades de la playa"* y que fueron levantados con la denominación de **Puesto Viejo**, en un rincón del bosque, a estar a la palabra de Piria; la gran mayoría lo hacía *"cerca de la Central"*, en *"cuatro edificios para 120 personas"*, rodeados de *"varias casitas que blanqueaban de trecho en trecho"*. Algún tiempo más adelante, con toda seguridad luego de que el visionario percibiera que el destino de la ciudad no iba a ser el de la "altiplanicie" alejada de la playa, vendió muy barato a sus obreros solares ubicados en donde hoy se levanta el proletario "Pueblo Obrero", cuyo nombre no desmiente su origen. Dicen los entrevistados que, junto al solar asignado, regalaba otro para que se hiciera quinta. Cuenta Pérez que Piria daba la madera, la paja y los terrones para hacer el rancho y una vaca lechera en calidad de préstamo, vaca que se podía cambiar por otra al "secarse".

Los almacenes que existían junto a "la Central" proveían únicamente de pan y de "vicios", ya que se despachaba *"vino, bebidas, cigarros, tabaco, papel y fósforos; de los demás artículos la gente se surte ya en el cercano pueblito de Pan de Azúcar* [o con] *la llegada de mercachifles que concurren a Piriápolis todos los domingos"*. (Lo dicho por Piria en **Reisebilder** con respecto a los rubros que se expedían en el almacén, coincide con lo que establecen los libros de contabilidad). Hay que tener presente que este relato lo hace seis años después de que el gobierno "le parara el carro" con el asunto de los vales, no pudiendo establecerse si en fecha anterior –los tres primeros años– no hubiese intentado que todo el consumo se hiciese a través de sus comercios. Se utiliza el verbo "intentar" puesto que el Jefe Político que intervino en el asunto describió el funcionamiento de *"otros comercios"* en o cerca del Establecimiento.

Con respecto a los "ché-gringos" de Central, dice Emilio Tagliani, quien trabajara años con Piria, que a principios del siglo *"la mayoría del personal era extranjero y se destacaban polacos, rusos, armenios, gallegos e italianos traídos por Piria"*, y éste describe una torre de Babel en donde se mezcla el *"temperamento sarcástico"* de sí mismo con la *"cuchufleta piamontesa y lombarda"*, la *"chanza criolla"*, la *"risa socarrona de un napolitano parrandero"* y las *"voces robustas de los vascos, franceses y alemanes"*.

Al mismo tiempo que los esforzados gringos –a pura piqueta, punta y marrón al principio– arrancaban del cerro la postería para las viñas, y que con piedras, bueyes y arados se hacían las nivelaciones y pasos más imprescindibles, los criollos y los hijos de Piria inician la forestación *"con eucaliptus, acacias y pinos"*, que se extendía *"para proteger los viñedos del pampero"*, como *"núcleo forestal para las necesidades del establecimiento"* y luego para lo que sería la *"futura ciudad balnearia"*.

Si no fuesen tantas y tan variadas las acciones que llevó adelante con igual fuerza, se diría que fue un "maniático" de la forestación, claro elemento del progreso para un Uruguay desértico; tanto así, que en la curiosa "reforma agraria" que planteó en una de sus publicaciones[80] proponía que el Estado cediese tierras, semillas e implementos de labranza a los colonos, obligándolos a forestar determinado porcentaje de aquellas con el compromiso de comprarles luego los árboles, de cuyo producido se iría amortizando la deuda contraída.

La leña que hoy alimenta las calderas del Argentino Hotel proviene de los montes implantados hace cien años; en ese tiempo los montes cambiaron por completo la fisonomía del litoral del departamento de Maldonado y, para decirlo por boca de autoridades de la época, ya en 1913 expresaba el profesor del Instituto Nacional de Agronomía, Juan Barcia Trelles[81]: *"basta recorrer el litoral del departamento de Maldonado, antes estéril, paupérrimo, formado por médanos infecundos, cuyas arenas voladoras avanzan a pasos agigantados hacia el interior [...] hoy salpicados por grupos de árboles..."*, quien más adelante le adjudicaría la cifra de **un millón** a las *"copas majestuosas que se alzan en Piriápolis, desafiando a Eolo y a Neptuno... [etc.]"*. No es posible corroborar esta cifra, que también maneja Piria con su afición a agregar ceros, pero lo cierto es que fue reconocida su acción *"junto a una generación de hombres esclarecidos"* entre los que el ingeniero Arechavaleta coloca a Lussich, Bergalli, Durandeau, Gorlero y otros, y que fuera premiada con los $ 10.000 que otorgaba el gobierno a quien más se destacara en el empeño; esta suma la donó el rematador para la construcción de la Escuela de Pueblo Obrero.

Las cuarenta cuadras de tabaco que plantó para obtener un producido rápido de la inversión, mientras lentamente crecían los sarmientos de las viñas, los muchos más demorados olivos y los millones de arbolitos –siempre y cuando fuera efectiva la lucha contra la hormiga, la liebre y la langosta– tuvieron un fin no esperado.

Efectivamente, vaya a saber uno qué ilusiones de ganancia abrigaba el hombre, pero lo cierto es que al cosechar, se topó con *"los monopolizadores del tabaco"* (quienes ofertaban barato y luego lo comercializaban *"a precio subido"*)[82]. Y, como no quiso *"vender a esos pichincheros"*, cortó por lo sano diciendo que *"prefiero establecer una manufactura en el depósito de la calle Treinta y Tres N° 155"*. El proyecto lo debate durante muchos números de *La Tribuna Popular* con un supuesto Jacinto Alvariza que cartea al diario sosteniendo que la actitud de Piria no favorece a la industria, *"creando una atmósfera perjudicial a nuestro producto nacional"*. La fabricación de cigarros nacionales había sido defendida por Piria en **El país de los llorones** en 1880, en contra de la importación del extranjero, mucho antes de ser productor de tabaco. Mailhos, que habría comenzado su manufactura de cigarros sin otra ayuda que sus manos en *"un cuchitril del Mercado"*[83] –vecino de aquel Piria que comenzaba los remates– a la postre habría de ser el comprador de la máquina que se instaló en el depósito de la calle Treinta y Tres, a estar a la tradición oral que se maneja en la familia Piria y que no ha podido ser confirmada.

Los vinos de Piriápolis

Deseos vienen de comenzar esta parte con aquel: "¿Dónde están, qué se fizieron?" de la poética española, luego trasladado a la nostalgia tanguera rioplatense. Pero no para averiguar sobre "los infantes de Aragón", ni sobre "Los muchachos de antes", sino para capitar con algunas palabras elocuentes que digan del asombro ante la comprobación de cómo un relampagueo de tiempo puede hacer desaparecer tantas realizaciones humanas y, en este caso, borrando como una bíblica maldición, casi todo vestigio.

Solo galpones abandonados han quedado del emprendimiento vitivinícola que popularizara entre los montevideanos la palabra "Piriápolis".

La tierra que había llevado el hombre para hacer analizar en Europa durante su viaje de 1890, aun antes de firmada la escritura definitiva, había cruzado el océano para que del otro lado se determinara sus condiciones de fertilidad para el desempeño de viñedos. Por la documentación que se tiene a la vista (fundamentalmente un prolijo informe de Teodoro Álvarez, Inspector en Viticultura, de existencia comprobada), junto con los análisis ya vinieron los primeros sarmientos importados de Francia, y a poco ya conocía Piriápolis toneles traídos del Mediodía francés, una trituradora mecánica, arados especiales para una roturación profunda, y mientras los "ché-canarios" agachaban el lomo en los surcos, brotaban las primeras yemas que eran destruidas por la langosta y la "filoxera". El nuevo industrial del vino –con un enólogo en la maleta– recorría cuanto viñedo había en el Uruguay, comenzando por los de Salto, para averiguar qué métodos usaban sus colegas contra las plagas.

Al comienzo de este trabajo se expuso que la única empresa aún vigente y con proyecciones de futuro –de todas las que emprendió Piria– es la del Turismo en la Ciudad Balnearia.

¿Por qué se esfumaron aquellas otras dos industrias establecidas en Piriápolis –la vitivinícola y la minera–, una desaparecida totalmente y la otra de renovación incipiente?

El científico Juan Antonio Grompone –quien escribiera una exitosa novela policial luego de recibir el impacto de aquel cerro enorme tajeado por obra del hombre*– adhiere a la interpretación de que el orden internacional no le adjudicó al Uruguay un destino exportador y sí de servicios. Si bien eso es cierto, también lo es que Batlle protegió fuertemente a la industria nacional (la ley de 1912, por otra parte, estaba precedida por las de 1875 y de 1888, en el mismo sentido), y que mientras Piria vivió, ambas industrias fueron florecientes.

También señala Grompone que otro hubiera sido el destino de la industria si Batlle hubiese empleado la riqueza de las épocas prósperas en capitalizar el sector productivo, en vez de emplearlo en dar bienestar al trabajador por medio de su política social; pero profundizar este tema implicaría que "se nos fuera la mula", como a Piria.

No de flores, precisamente, y sí de tropiezos habían sido los principios. Las plagas de langostas arrasaron más de una vez con viñas, eucaliptus, pinos, olivos y cuanta cosa verde viviente, fueran de Piria o de quien fuese. Cuando las nubes de los saltarines depredadores ocultaban el sol y el ominoso zumbido llenaba el aire, no

---

(*) Juan A. Grompone, *Asesinato en el Hotel de Baños*. Montevideo: Monte Sexto, 1990.

Castillo, viñedos, bosques, central fueron el comienzo. En el ángulo superior derecho se ve el terraplén del tren.

había esfuerzo humano que las contuviese por más "chapas de barrera" que se colocaran rodeando los cultivos. Solamente quien haya sido agricultor puede levantar el grito al cielo, indignado, como cuando Piria lo hace en San Antonio, Departamento de Salto[84], al enterarse de que un viticultor tuvo que arremeter de revólver contra el ganadero del campo lindero para que éste le permitiera entrar a combatir la plaga.

Pero mucho peor que la langosta resultó ser la filoxera que destruía la planta en su totalidad y para siempre. A estar a lo que escribe Brenno Benedetti[85], traído de Italia a fines de 1892 o principios de 1893, quien había realizado inspecciones *"pocos meses ha [...] por encargo del gobierno italiano"* [...] en el *"lago de Como y Brianza"*, la ignorancia y la indiferencia campeaban por aquí en esferas gubernamentales contrastando con la alarma de los Harriague, los Vidiella y los Piria. También el abuelo de Mario creía que *"este país* [estaba] *destinado, por su buen clima y tierra feraz, a convertirse en uno de los centros vitícolas sudamericanos"*.

El informe de Álvarez daba cuenta, en 1902[86], de que la filoxera había devorado *"74 hectáreas de viña sin injertar* [aunque] *esas 74 hectáreas desaparecidas se replantarán casi en su totalidad en el presente año; dos arados «defonceurs» de grandes dimensiones, trabajan las hectáreas destruidas donde se sustituirán a las Vidiella y las Harriague de pie franco por los híbridos más reputados..."*.

El esfuerzo por derrotar a la plaga debía desplegarse, no tanto en base a remedios, sino encontrando una planta resistente; para encontrarla había que hacer una y otra cruza, teniendo presente las características del suelo y sin perder de vista la calidad de fruta que se quería obtener.

Los cruzamientos requirieron varios viajes a Europa, mucha información, experimentación, y una constancia a toda prueba: las 74 hectáreas perdidas no fueron una de las pruebas menores.

Al cabo, la "Fecunda Piriápolis" –conocida en las inmediaciones como "el pie de Piria"– resultó ser la variedad resistente buscada. El folleto de 1902, *Piriápolis*, es dedicado enteramente a anunciar el éxito de la empresa y a promocionar la venta de ciento veinte especies distintas de sarmientos (que sobre un total de trescientos, según Piria, eran los más convenientes), con una detallada especificación sobre las características de cada planta y del vino que se obtiene de ellas.

Luego de tanto afán, no es de extrañar el encabezamiento del folleto referente al éxito, con la euforia del caso: *"El éxito, para los que sienten la necesidad de luchar, no lo constituye el dinero. El dinero no es más que un medio [...] necesario para conseguir la victoria; y ésta la constituye [...] el coronamiento de la obra emprendida y realizada con la perseverancia y el acierto"*. Luego de precisar que *"tiempo, dinero, trabajo [...] todo se ha derrochado para conseguirlo"*, concluye diciendo que tiene la *"plena convicción"* de que *"el porvenir de la viticultura es [...] un problema resuelto"*.

Para resolver aunque más no fuese en parte el equilibrio de egresos e ingresos, ya se había puesto en venta, en 1899, la "Cognacquina Piriápolis", en la calle 18 de Julio N° 67, y en 1900 los vinos en la calle Convención N° 190. Un anuncio de la época indicaba[87]:

Vinos Piriápolis
Vino Souterne para mesa   *Cajón 12 botellas*   *$ 3*
Vino Moscatel para banquetes   *Cajón 12 botellas*   *$ 4*
Vino Borgoña   *Cajón 12 botellas*   *$ 3,50*
(hijos del país, hay que sacrificarlos para que se consuman)

Quienes gusten de los cálculos y las comparaciones pueden tomar en cuenta que un empleado público ganaba $ 50; de cualquier manera, otro elocuente síntoma de prosperidad en el consumo lo da el informe de Vaillant[88] que coloca a Montevideo en el tercer lugar de los consumidores de vinos franceses, solamente detrás de Buenos Aires y Londres. Contra ellos arremetió la industria nacional que, combatida la filoxera, pasa de los 7 millones de litros de 1902 a 17 millones en 1910[89].

Anotados los inconvenientes que hubo que superar en el reino vegetal y en las escalas más bajas –o al menos más pequeñas– del reino animal, cabe consignar que el soberano de este último también puso lo suyo.

En efecto, medidas enérgicas contra *"los inescrupulosos de siempre"* pedían los *"viticultores de Pan de Azúcar"*, vecinos de Piria, en carta que dirigían a los *"diputados de la Comisión de Hacienda"* vía el diario *El Pueblo* de San Carlos[90], para: *"Salvarnos del naufragio a los viticultores que no hemos entendido* **la ciencia de transformar el agua en vino** *(vinos de bajo precio)... causa princi-*

El puerto pasó a ser una prioridad para el proyecto de ciudad

pal del desaliento y no la filoxera pues ésta se puede combatir, lo que no sucede con los vinos artificiales...".

Es de esperar que la queja no fuese contra el vecino Piria, quien al mismo tiempo alzaba la voz contra los venenos que se daban a tomar al pueblo: *"A fines de 1901 se hizo un cálculo del que resultó que dentro de Montevideo y en algunos pueblos de campaña se hacían no menos de cincuenta mil bordalesas de vinos tintos, blancos y secos, **sin pizca de uva**, con alcoholes impuros, tal vez fabricados clandestinamente: verdaderos venenos con que se aniquila a la población".*

Y parece que del extranjero también hubo de recibir una estafa, ya que *"algunos filibusteros de viticultura"*[91] le vendieron desde Francia *"30.000 plantas injertadas, y en vez de ser injertadas sobre las variedades que pedíamos, nos mandaron plantas que la filoxera ha destruido..."* [por ser hechos los injertos] *"sobre variedades sin ninguna resistencia".*

¿Dónde están, qué se fizieron... los cien peones que se registraban en el "Libro de liquidaciones de sueldos", con haberes de $ 8 a $ 12 (más casa y comida), a las órdenes de "un administrador" que seguía las indicaciones de un "director técnico"? La importancia del núcleo vitivinícola surge, además de las cifras de trabajadores, al considerar que los ocho libros de contabilidad incluían un libro de "entrada de ganados" para consumo del personal. Cuando el gobierno arremetió contra Piria por "los vales" –ataque que adjudica éste a la permanente actitud opositora de su diario, *La Tribuna Popular*– también lo hizo por el ganado que se carneaba en el *Establecimiento* por fuera de las tibias y elementales normas de la época. La visualización del Uruguay como un desierto de pasto lleno de ganado para el libre consumo de los hombres (el antecedente lingüístico más impresionante puede estar en la palabra *Tupambaé*: "lo que Dios da", con que los jesuitas de las Misiones designaron al ganado comunitario que quedaba allí como reserva de ganado que se hacía en "la vaquería del mar") se conserva hasta este civilizado año de 1990, a estar a las quejas del Intendente de Flores, Sr. Walter Echeverría, por el ganado que carnea alguna institución de Estado en Trinidad, eludiendo los impuestos.

Si un poco larga, la digresión ayuda a colocarnos en una época en la que el autoabastecimiento resultaba obligatorio, no solo en cuanto a alimentos, sino también a la casi totalidad de los servicios: la *"carpintería y* [la] *herrería, donde se hacen reparaciones y trabajos concernientes al oficio, en las máquinas y herramientas agrícolas"*. Fue un complemento imprescindible. Hábiles carpinteros extranjeros hubieron de realizar años más adelante en los "Talleres" las carrocerías de los vagones de pasajeros del "trencito"; tal vez por falta de tiempo, por el ánimo perfeccionista de Piria –o por ambas cosas– los carpinteros no fabricaron los toneles. (Entre los carpinteros destaca Piria a un vasco *"muy trabajador e ingenioso"* –al que llamaban *"falsaescuadra"* por una irregularidad en los hombros– quien era capaz de hacer *"desde un mueble hasta una guitarra"*). Los toneles fueron traídos, para la *"primera sección de la bodega"* –en una cantidad aproximada a los cincuenta y con una capacidad *"cercana a los quinientos mil litros"*– desde la *"casa Gilly de Nimes, en el Mediodía francés"*, junto con el mismísimo Francisco Gilly, quien los vendió desarmados y los armó aquí en Piriápolis, *"valiéndose para su trabajo de* **elementos criollos***... entre los que ha logrado formar discípulos"*, último párrafo del que se deduce que toda regla tiene sus excepciones y que el *"elemento criollo"* también hizo algo más que andar detrás de bueyes, caballos y baldes de mezcla.

En esos primeros tramos del naciente *Piriápolis*, *"a la espera de instalar la luz eléctrica"*, el alumbrado fue a gas, pero ya la electricidad corría por los cables transformándose en las señales que animaron la *"red telefónica"* cuando, faltando un año para el siglo, y ya construido el "Castillo" (en 1897 ya estaba terminado), hubo que comunicar a éste con la "Central", los "Talleres", la bodega, los depósitos de materiales de la costa, e *"inclusive la casilla del guardacosta que vigila al Puerto"* (¡vaya con la realista e irrespetuosa designación para el "Resguardo Aduanero del Puerto del Inglés!").

Faltando aún instalarse la usina eléctrica, el total de la energía la otorgaba el vapor. Aunque lamentablemente los libros del "Resguardo Aduanero del Puerto Inglés" no especifican la carga, se puede asegurar casi con seguridad que sería carbón de piedra la mercadería transportada por unas "chatas" de ochenta y tres toneladas que comienzan a arribar con asiduidad allá por el 900. (Transportarlo por otra vía hubiera significado hacer el viaje mucho más engorroso y caro: vía ferrocarril Montevideo-La Sierra y luego por carretas hasta *Piriápolis*).

VIII

LOS *"TOURISTAS"* DE ENTONCES. ¿QUÉ PREFERÍAN LOS *"TOURISTAS"*?

La Paz –departamento de Canelones–, setiembre de 1990. Una señora recibe una herencia de cien millones de dólares. Corre alborozada la prensa a cubrir una noticia que distraiga un poco al público de los apocalípticos avatares de la guerra del Golfo Pérsico. Realizada la nota, más de un canal de televisión acude a las calles con sus cámaras a preguntarle al soberano: "Ud., ¿qué haría con ese dinero?..." La avalancha de respuestas fue un: "¿Yo?... yo viajaría por el mundo...", rotundo, categórico e inapelable, apenas disminuido por la previa y rápida compra de la casa por parte del sector de los orientales inquilinos (que no tuvieron abuelitos previsores que siguieran el ahorrativo consejo de Piria del solar y la casita propia).

Hace un montón de siglos, Séneca había sentenciado: "Vectatio, interque et mutata, regio venturant dant", lo que, en una sintética y criolla traducción significaría que el viajar es saludable. Es de presumir que el filósofo que tal decía lo hacía evaluando no más allá de su corto traslado hasta la costa mediterránea y el viaje por mar hasta la costa próxima a Roma, sin soñar siquiera en el febril traslado moderno de millones de personas por hora atravesando el mundo.

También se viajaba a fines del siglo XIX –pero a las cortitas– buscando refugiarse del sol veraniego en las umbrías quintas de las inmediaciones de Montevideo; el traslado, aun mucho más corto, de cualquier barrio apartado hasta el Centro, en los tranvías de caballitos, convertía *"los paseos"... "casi en pequeños viajes"*, tal como lo describe la exquisita pluma de Josefina Lerena de Blixen[92]:

"–¿Ud. va hoy al centro? Y si era así, se le entregaban cartas para el correo, o paquetes, o listas de compras. [...] Y el que partía para el centro, hasta llevaba saludos y recuerdos, como si fuera de viaje a las tierras gallegas..."

No a las tierras gallegas, pero sí al "fin del mundo", exagera la prosa no menos colorida de Tola Invernizzi cuando relata el viaje que hizo desde Montevideo a Piriápolis allá por la década del cuarenta: acostado su largo cuerpo encima de unos colchones que transportaba el camioncito para el recién adquirido Hotel de su madre, le pareció un sorpresivo "otro mundo" a su óptica montevideana la visión de las sierras de las Ánimas recostándose contra la costa.

En pleno desarrollo de la zona el castillo es el centro de acción

A las quintas, más cercanas o más lejanas, se trasladaba la alta sociedad durante los meses de verano.

Un pésimo (inmobiliariamente hablando) concepto de ellas tuvo Piria, por el despilfarro de dinero que significaba[93]: *"no cultivar esa magnífica campiña que tenemos"* [y en cambio gastar] *"80 mil pesos en una **villegiatura**"* [por parte de quien] *"después tiene que hipotecarla a vil precio para comer. Esto me hace recordar el cuento aquel del vasco, que vendió el caballo para comprarle pasto"*.

Observando el *"pequeño trayecto que media entre las estaciones Bella Vista y Yatay"*, ve *"apiñados muchos palacetes de los gustos más caprichosos"* edificados por la *"mera ambición de figurar"* por parte de gente que *"construía un confortable palacete, amueblábalo con ricas tapicerías, compraba carruajes y librea [...] sin acordarse del fatal mañana..."*.

A la postre, quien así despotricaba contra quienes edificaban palacetes por la mera ambición de figurar, construiría para sí el "Palacio Piria", hoy sede de la Suprema Corte de Justicia, en la Plaza Cagancha, bien que no en desmedro del cultivo de la campiña y con fondos sólidos.

Muy distinta descripción de las quintas de recreo hace Josefina Lerena:

"Yo viví también unos años en una plácida quinta con glorietas calcadas a la gracia del tiempo de Marivaux. Era una quinta miliunochescamente florida, cercada de jazmines y de heliótropos, con rosas blancas, rosas pálidas, opulentas rosas de Francia y rosas amarillas y rojas. Y entre ellas, señor del agua, como un fanal de sombra, mi alto molino... Y eran así las quintas del novecientos, que iban bordeando el camino; grandes jardines o pequeños parques con sus casas siempre cerradas, casas de espigados miradores, todas rodeadas de pinos y pitas, de álamos, de cedros y laureles, quintas sosegadas...".

Nótese cómo se destaca el *"sosiego"* de las casas *"cerradas"* luego de la movilidad verbal de *"ir bordeando"*. Páginas más adelante, contrapone la nueva modalidad del *"entusiasmo de las playas"* con las *"preferencias simples"* y el *"gusto apacible del Novecientos"*.

Ambas modalidades de veraneo coexistieron durante varias décadas, informando la sección "sociales" de la prensa que[94] *"el Sr. Aureliano Rodríguez Larreta y su familia partirán –en la corriente semana– para su quinta de Los Dos Molinos y allí permanecerán larga temporada"*, al tiempo que *"a causa de sus propiedades medicinales"*[95], sostiene Josefina Lerena, *"los bañistas llegaban a las playas como si llevaran una receta en la mano"*.

Quien luego apostara todos los boletos al destino balneario de Piriápolis, en 1878, muy tibios aún los comienzos de la nueva moda, si bien no se le escapaba que *"el día que este país cuente con tres o cuatro millones de habitantes, no hay duda de que estos terrenos se pagarán a precios de oro"*[96], despotricaba contra las sociedades anónimas que proyectaban formar poblaciones en las playas, *"¡como si tanta escasez hubiera habido de terrenos, para ir a buscarlos al mar!"*, y anticipaba cuál sería su accionar en la materia diciendo que la anónima *"debería llenar ese amanzanamiento con plantaciones de eucaliptus, que a más de solidificar el terreno, oxigenaría las pútridas emanaciones de esas lagunas..."*.

Clara preferencia por la playa del Pueblo de los Pocitos, *"a pesar del viaje prolongado"*[97], sobre la Playa Ramírez, tuvo el periodista de la revista humorística ilustrada *La Playa*, quien se quejaba de Ramírez comparándola con *"uno de esos saladeros que se ven por el río Uruguay"* y cuya *"única atracción"* consistía en *"lo pintoresco de un tambo y los caballos de trenes, que asustados por una orquesta de circo ecuestre, amenazan..."*, etc.

En cambio, el domingo de noche, todo Montevideo elegante se encontraba en los Pocitos y la cosa no era para menos. Allí encontró *"cielo tachonado de estrellas"*, *"ambiente tibio y penetrante"*, *"sutiles perfumes"*, *"inquietas olas"*, todo formando un marco para unas damas que (demostrando que el tardío romanticismo gozaba de buena salud en Montevideo) eran como *"fantasmas cubiertos de velas blancas"*, *"visiones con rostro de ángeles, con cuerpo de Trine y miradas de sirenas"*, cuya inaccesibilidad le hace blanquear los bigotes (era "humorística", la revista) con la espuma de un chopp *"más espuma que cerveza y más agua que espuma"*.

Pero –corriendo una época en la que un decreto policial estipulaba todos los veranos el sector donde debían bañarse los hombres, cuidadosamente separados del sector de las damas– los románticos ardores de los corazones femeninos, junto con el resto de su humanidad, debían taparse con capas de ropas para penetrar en el agua, luego de llegar a la orilla en un carrito herméticamente cerrado.

Describe así la memorialista:

"Y con el emperifollado vestido y llevados por zapatos que se hundían pesadamente en la arena, se caminaba hasta el carrito, que un mulero, con sus

dos mulas, llevaría hasta la misma orilla del mar. Y dentro de aquél, con las puertas cerradas, sofocándose a causa del aire de fuego que se colaba por las ventanillas diminutas, ventanitas con formas de barajas, era necesario cambiar el complicado vestido de la ciudad por un traje de baño también complicado. De nuevo, pues, había que vestirse, ya que el traje de baño comenzaba por exigir una gorra amarilla, con volados duros, a manera de las tocas aldeanas, para no dejar que se mojara el cabello o un sombrero de paja con bridas para defender el rostro del sol. Además, trajes de ásperas y gruesas sargas azules, con trencillas de lana blanca y anclas marineras bordadas en el peto, trajes todos iguales, como uniformes. Así, si alguien, despreciando atrevidamente el recato, miraba desde la terraza con anteojos de larga vista, como sucedía de vez en cuando, no veía caras, ni desde luego piernas, porque esos trajes tenían pantalones largos, ni mismo vería esos pantalones, que un pollerín largo cubría, ni vería brazos, ya que se usaban mangas. Y aun algunas bañistas, más anticuadas, mantenían la vieja moda de las túnicas sueltas, que tocaban el suelo, y que había siempre que mojar enseguida para que la brisa marina no las hinchara como globos...". Toda clase de sacrificios, pues, hubieron de hacer nuestras abuelas, para *"que el poderoso sol no afiebrara las cabezas y no diera a los cuerpos la entonces considerada* **horrible pátina de bronce***"*.

Al estado sanitario de una sociedad temerosa de las pestes –como se verá en el próximo capítulo– se sumaba la impronta cultural del romanticismo tardío. A atender ambas "debilidades" concurriría la "Cognacquina" de Piria.

Hay muchos testimonios de la literatura a los cuales recurrir para ejemplificar sobre el prestigio que tenía para las damas la palidez, el languidecimiento y el desmayo. Pocos, tal vez, tan exagerados como el de Heinrich Heine[98]. El personaje de su novela **Los dioses en el exilio**, para el cual el *"color sonrojado ejerce una impresión antipática, puesto que prefiero lo moribundo y marmóreo"*, describe la dama de sus amores con un rostro *"amarillo pálido"*, *"los ojos delicados como flores"*, en la tez *"brillo mate de perlas; lividez aristocrática, morbidez"*, dama que lo tuvo enfermo de amor durante largos años y que resultara ser... una estatua de mármol del jardín de un palacio.

Pocitos, pues, *"recién nacía [...] entre los campos de asolear de las lavanderas, junto a un pequeño pueblo, casi humilde, de casitas bajas y calles adoquinadas, con la gente todavía asomada a las ventanas y a las puertas de calle, entre endomingada y de entrecasa"* y la gente a las playas concurría *"como transigiendo, a causa de sus propiedades medicinales"* cuando Piria entrevé el futuro de Ciudad Balnearia para el Establecimiento Agropecuario, y emprende el "tour de force" que dejaría con un palmo de narices a los criollos de la época, que todavía se admiraban de la "viveza criolla" que había usado Brum para colocar en tal alto precio un campo inservible, todo arena y piedras.

IX

LA SALUD POR MEDIO DEL AIRE, EL AGUA Y EL VINO

Ya hacía 17 años que la "Cognacquina Piriápolis" había acudido a socorrer las dispepsias y anemias varias de los montevideanos cuando Piria, en 1916, dice que lleva *"más de mil quinientos resucitados"* en Piriápolis, en un folleto encabezado por una carta del médico Luis Garabelli (?) que testimonia las *"salutíferas"* condiciones del Balneario.

El arranque, pues, con el cognac medicinal, la continuación con la propaganda del balneario como lugar de curación, y la culminación en 1930 con un **Argentino Hotel** dotado de toda una planta de balneoterapia, hablan a las claras de que la preocupación por la salud vertebra toda una época; el progreso paralelo de la medicina queda de manifiesto en la ausencia de esa preocupación en los entrevistados por la televisión de 1990, quienes viajarían solo por placer.

Once personas en total, entre profesores de medicina y cirujanos, habían visto reconocidos sus títulos por una Comisión que había ordenado el gobierno de Lavalleja en 1830, títulos que no ayudaron mucho a despejar si la epidemia de 1839 se debía tratar *"con vomitivos y purgantes"* o *"con sangrías"*.

Cuando Piria es anotado en la Iglesia Matriz, los atacados por epidemias casi emparejaban la cifra de los heridos de la guerra y la discusión sobre la terapéutica adecuada (*"alimentación suculenta y vinos generosos"* o *"antiflogísticos"*) era tributaria de la precisión en el diagnóstico, que a la postre le da la razón al criterio del doctor Francisco Vidal quien desde San Carlos había opinado que se trataba de la mortal fiebre amarilla, la que diezmó a la población en 1857.

Uno de los sectores más grandes y poblados de Montevideo estaba en la Dársena y Cubo del Norte, cuyo aspecto más saliente en la descripción es la profusión de zanjas, basurales, pozos negros desbordados, caños maestros defectuosos y la fétida pirámide de animales muertos junto a la usina del gas.

El cuadro estadístico del Dr. Wonner de 1871/1873 que recoge Eduardo Acevedo en los **Anales Históricos**[99] indica también a la fiebre amarilla, la fiebre tifoidea y el tifus, junto con la "tisis tuberculosis", como las principales causas de muerte.

Las "leyes higiénicas de urbanización" en las que se basó Piria –a estar a sus propias expresiones– para delinear las 600 manzanas de Piriápolis, son testimonio elocuente del prestigio que alcanzó la palabra "higiene" y que mantuvo por décadas. La muy afrancesada Montevideo había recogido desde las facultades parisinas la preocupación por la higiene y la salubridad, incorporando en la última década del siglo el Curso de Higiene Pública en los planes de estudio.

Recientes aún los descubrimientos de Pasteur, a las "miasmas" y a las "emanaciones" se adjudicaban las causas de las temidas "pestes", conceptos que aún hoy la semiótica encuentra unidos en las "emanaciones pestilentes".

El aire debía de ser puro, y hasta a cañonazos habría que removerlo, tal la imaginativa proposición de un periodista durante la Guerra Grande; no fue muy original, entonces, el recurso propagandístico que usaron los vendedores de tierras –Piria más que ninguno–, de realzar la pureza de los aires en el paraje que se quería vender, aunque sí el tratamiento lingüístico:

[En] *"este barrio inundado de vivificantes rayos solares que depuran la atmósfera con torrentes de oxígeno que lo embalsaman, no tienen entrada los médicos. ¡Allí se mueren de hambre!"*

Como el aire es más puro en las alturas, en la altura de la altiplanicie y a dos quilómetros de la playa había previsto el primer hotel, a la postre empujado contra ésta por la fuerza del cambio de costumbres.

Esta preocupación por la salud se registra en los diarios de la época, tomando el 80 o el 90 por ciento de los espacios publicitarios; asimismo, un número importantísimo de remedios se encuentran vehiculizados a través del vino:

"Crema para arrugas prematuras [cúreselas] *con cold-cream y vino blanco"*, mientras que los mismos vinos son propagandeados por sus condiciones curativas supuestamente intrínsecas:

"Para la pobreza de la sangre, ¡tome vino de Bellini!"[100] o, si su problema es *"anemia, palpitaciones, dispepsia"* debería de beber *"Vino Guerin"*, que había obtenido la infaltable *"medalla de oro en París"*.

El cognac con quina "Piriápolis", que popularizó el nombre del balneario entre los montevideanos, fue otra de las genialidades del rematador.

Se haya curado o no la esposa del virrey del Perú con la corteza de QUINA que le proporcionó un cacique de Malacatos a mediados del siglo XVII, lo cierto es que en los próximos cien años los alcaloides derivados de ella –que se difundieron a través de los jesuitas en América y de la corona española en Europa–, fueron poderosos remedios contra la fiebre, al punto de ser considerados casi como panacea universal (una especie de "ungüento de Merlín" bueno-para-todo).

Prueba de esa importancia la encontramos en que ya en el primer número de la revista del "Centro Farmacéutico Uruguayo"[101], enseguida que el gremio destaca el informe del doctor Joaquín de Salterain al Consejo de Higiene por el que *"se agradece a los farmacéuticos esos servicios que prestan"* (ejercicio de la medicina no-legal pero admitido), los farmacéuticos se enzarzan en un polémico entrecruzarse de recetas para determinar cuál de ellas es la original del médico francés Jaccons, descubridor de la **Poción de Jaccons**, a base de Quina y Cognac.

Piriápolis comienza a desarrollarse; se construyen los primeros chalés. Al fondo, semicubierto, el Hotel Miramar, después Select, y a la derecha el Hotel Colón. Hacia la izquierda, dos de los chalecitos que había construido Piria para alquilar.

La estación del tren, en el lugar donde hoy se encuentra la prefectura. Gentileza del Sr. Edgardo Peluffo.

Un farmacéutico dice que la prepara de acuerdo con la *"siguiente fórmula inscripta en la guía médica de Chernovitz: extracto de quina, 4 grs., «aguardiente», 30 grs.; vino tinto, 150 grs."*; otros colocan el más caro cognac, el ron o, incluso, el alcohol rectificado. Por último, luego de muchos pareceres, se llega a una fórmula transaccional en base a vino tinto del país, alcohol rectificado y quina, aunque se establece que la original del *"ilustre profesor de la escuela médica de medicina de París"* es en base a la quina y al *"cognac viejo"*.

Es difícil determinar si Monsieur Renaux, el francés director técnico de Piria, hubo de consultar el libro *Traité... de la destillation des alcools* [pour] *la fabricatión des liqueurs* (sic, tomado del Libro Diario del Establecimiento Piriápolis) que recibe en 1899, pero lo cierto es que ese mismo año aparece en venta la "Cognac-quina Piriápolis", al precio de $ 1 la botella (el vino ordinario valía $ 0,10 y la grapa $ 0,50) y de la siguiente manera difundida en la prensa:

"Cognacquina Piriápolis/ es un cognac/ hecho con las uvas especiales con que se fabrican en Europa/ los cognac más reputados.

La cognacquina Piriápolis tiene tres años de bodega, es un verdadero néctar a base de **quina** *pura.*

Un licor tónico, aperitivo y reconstituyente. **Una copita de Cognacquina en un vaso de leche** *tomada durante cinco días basta y sobra para probar su eficacia. La persona más débil del estómago sentirá al quinto día sus maravillosos efectos; los que han perdido el apetito, los que sufren de dolores de estómago,* **prueben durante cinco mañanas al levantarse, un vaso de leche fresca con una copita de Cognacquina**.

Al quinto día –pues solo cinco días bastan para sentir sus efectos–, *serán los más ardientes propagandistas de este verdadero néctar"*.

Ya que curar una úlcera con cognac debe ser como apagar un fuego con nafta, es de esperar que no existieran ulcerosos entre los "doloridos del estómago". Diecisiete años después de esta propaganda, el rematador, que debe haber tenido más éxito con su producto entre los aficionados al alcohol que entre los amantes de la leche, agregó la *"acidez de estómago"* a las enfermedades curables con la "cognacquina".

En cuanto al agua, de las infinitas aplicaciones que recomienda la ciencia hidropática, la más desagradable, sin duda, debe ser la del baño frío –y más si se debe realizar en el río o en el mar, en pleno invierno–. Al Río de la Plata, en cualquier época, fueron a dar los huesos de los pobres negros esclavos que autorizara una real cédula a cambiar por frutos del país, y que una Junta de Sanidad[102], *"a guisa de cuarentena"* sometió *"a los baños de mar hasta su curación"*, dando así *"el ejemplo de lo higiénico que son los baños diarios"*. Y asentando en la historia patria el origen de los baños de mar.

La receta del baño de mar, que luego Piria exageraría recomendándola *"en julio y en agosto"*[103] en su balneario, fue matizada con baños de todo tipo en los *"Baños de salud de José Manuel Aurquía, en la calle Maldonado N° 1"*[104]; allí se ofrecían *"baños de mar y duchas frías, calientes, escocesas y alternadas, perinales, de asiento, de lluvia, tibios, de afrecho, sulfurosos, alcalinos [...] baño ruso, turco, romano, mercurial, de arena caliente para el reumatismo, la ciática y la gota"*, en un acuoso recetario casi interminable.

Libros de la época[105] destacaban el caso del padre capuchino Bernardo, quien en Sicilia desafiara *"al resto de los médicos a un concurso de quién curaba más enfermos"*, asegurando el padre que la hidropatía es *"la cura más efectiva para el cáncer"*, relatando el caso de un paciente que, atacado por un *"abceso canceroso que le estaba penetrando hasta el hueso* [y por cuya causa] *estaba reducido a la piel y los huesos"*, con el tratamiento hidropático *"engordó tanto... que su ropa ya no le venía"*.

El autor de **La panacea universal, o sea el agua fría**[106] detalló minuciosamente el procedimiento de bañarse en el mar, pero precisando asimismo que la duración del baño no podía exceder *"más tiempo que 5 o 10 minutos"*, demostrando que Josefina Lerena no exageraba ni un ápice cuando decía que los montevideanos se bañaban por receta médica.

Don Pedro Mombrú, que así se llamaba el autor de **La panacea universal...**, era barcelonés; al cabo hubo de salir en defensa también del mate amargo, porque *"si la yerba mate fuese nociva para el hombre, por aquí no quedaban vivos"*. Se asombra el buen barcelonés de *"personas que toman hasta 100 mates por día"* y luego que lo describe como *"una tacita de un grandor de 1/4 de litro, con una abertura redonda del grandor de una pulgada y media"*, y a la bombilla como *"un tubito de plata de 10 pulgadas de largo, formando un cestito al extremo con agujeritos para que no pase la yerba"...*, atestigua que *"en muchas casas de campo veremos gastar, para 10 o 15 personas, de dos a tres baldes de agua caliente al día"*.

A las propiedades curativas del agua apostaría luego Piria, al agua de las fuentes, a la fría del océano o la caliente del **Argentino Hotel** –a todas menos a la del mate (porque obviamente, cuando se toma mate no se trabaja)–: *"¡Parece que siempre tienen un pito en la boca!"*, rezongaba, medio en broma, medio en serio[107].

X
LA CUESTIÓN OBRERA EN PIRIÁPOLIS

Por una opción metodológica, este capítulo se aparta del orden cronológico que a grandes trazos venía pautando el presente trabajo. En las páginas siguientes se agrupa la temática social y laboral que surge del período 1890-1933, desde la compra de las tierras hasta la muerte de Francisco Piria, suspendiendo momentáneamente el relato que deja a ramas y hojas de eucaliptus formando ya una tupida barrera que protege a los cultivos de lo vientos marinos, y a sus raíces afirmando los médanos, mientras que entre los troncos se desenvuelve la caminería que comunica a la Central con la Estación La Sierra y con el precario muelle del puerto. Sobre ella, dejan sus huellas carros y carretas que transportan los materiales para las primeras edificaciones de la costa. Mientras esto sucede en Piriápolis, en Montevideo el martillo del rematador, golpe a golpe sobre la tarima de roble, hace decenas de miles de nuevos propietarios y centenares de miles de pesos fuertes que irán a parar indefectiblemente al *"Balneario del Porvenir"*.

Una espesa nube de silencio, reticencias, frases sin terminar, juicios contradictorios, se enmarañan en torno a la figura de Piria cuando uno interroga a los vecinos "modernos" de Piriápolis. Al amparo de estas tinieblas corre también una "leyenda negra". Aquí se presentarán los frutos de la investigación realizada, dejando que el lector saque sus propias conclusiones; no solo por un más cómodo (¿y objetivo?) "pasar la pelota", sino también porque ha resultado difícil marcar un sesgo definitorio de quien, entre muchas contradicciones, propagandeó durante muchos años el "socialismo" para luego impulsar el único partido realmente "conservador" que registra la historia política del Uruguay.

El esquema marxista de la acumulación de plusvalía, para explicar la realización nada menos que de una ciudad mediante la explotación del trabajo del asalariado, no tiene aplicación aquí.

Sin ninguna duda, el dinero para la ciudad provino de las decenas de miles de solares vendidos en Montevideo. (Si bien Piria también adquirió tierras en Buenos Aires, al cabo el remate que quiso llevar a cabo en Punta Lara, próximo a la ciudad de La Plata, se hubo de suspender y esas tierras a la postre fueron vendidas por la Sucesión, hace poco tiempo).

Rambla, trencito, trabajadores y mirones.

También deben tener en cuenta esta circunstancia quienes, livianamente, afirmen la prevalencia de la gestión privada sobre la estatal tomando el ejemplo de Piria: la *performance* financiera en la creación de la Ciudad, hubiera implicado un "endeudamiento externo" (de afuera de Piriápolis) de difícil amortización. Pasaron 15 años de continua inversión hasta la inauguración del Hotel Piriápolis, 22 hasta el primer remate de solares del balneario y 40 hasta la realización cumbre del Argentino Hotel. Si bien fueron exitosas las experiencias mineras y vitivinícolas, la enjundia de las ventas resultan pequeñas comparadas con el enorme gasto realizado. ¿Cuál habrá sido el precio del puerto, a partir de la dinamitación de un cerro, cuando una modesta ampliación del mismo fue evaluada en decenas de millones de dólares?

Antes de encarar la relación de Piria con los asalariados, tema de más compleja aproximación, brevemente hay que decir que sin lugar a dudas fue *"muy duro y exigente"*[108] con sus hijos. Siendo improcedente y de mal gusto penetrar en intimidades familiares, sí se debe consignar que a su regreso de los colegios suizos, los tres hijos varones trabajaron permanentemente en Piriápolis. Hay quien los recuerda "agachando el lomo" en la plantación de árboles; también es más viva y reciente la imagen de "Pancho" Piria en sus permanentes recorridas de a caballo, de riguroso traje y corbata (traje que ocultaba –según una leyenda– una coraza de acero a prueba de balas). Más acá de leyendas de difícil comprobación, lo cierto es que al trato *"duro y exigente"* se sumaban unas *"quilométricas cartas"* que debían leer para seguir las meticulosas instrucciones de su padre durante sus largos períodos de ausencia.

El trato con los obreros raramente fue personal: todos los testigos entrevistados concuerdan en que las órdenes se hacían cumplir por intermedio de administradores o capataces; el más recordado, por lejos, fue su administrador general, don Carlos Bonavita, muy querido por la gente ya que, a estar a las expresiones de "Pepe" Mondelo, *"nunca dejaba a nadie de a pie"*, sacando dinero de su propio bolsillo cuando se le requería.

Que Piria *"pagaba con su moneda propia"* es una de las facetas más señaladas que integran la leyenda negra. No fueron *"moneda propia"* de circulación interna, unos medallones de metal que eran *"unidades de cuenta"* y que se entregaban como tales para controlar la cantidad de cajones de uva o de aceitunas que se cosechaban, al estilo de las "chapas" de los esquiladores.

Lo que sí puede haber sido una moneda interna son los "vales" que circularon al principio, desde 1890 hasta 1893, y que desataron la polvareda que a continuación se expone.

*"Francisco Piria ha puesto en circulación billetes de cambio de su Establecimiento Agronómico Piriápolis con los cuales paga a sus peones y estos los hacen circular en **algunas casas de comercio**, y otros en **algunas casas que él mismo tiene...**"*[109] hacía saber el 17.2.1893 el jefe político de Maldonado, M.B. Laurente, al Ministro de Gobierno don Francisco Bauzá, expresando a continuación que las leyes *"prohíben la emisión de toda moneda"* y pidiendo ser ilustrado *"en este caso acerca del temperamento que deba adoptar esta Jefatura"*, ya que había que tener en cuenta que *"tratándose de un individuo cuya iniciativa da impulso al progreso de este Departamento"*..., etc.

El Ministro de Gobierno, José María Reyes, acude en defensa de Piria y eleva a la fiscalía de Gobierno, el 23.4.1893, una nota en la que asegura que los papeles *"distan de ser un billete de cambio"* y son *"pagaderos hasta la primer quincena de cada mes en Montevideo"*, semejantes *"a los que se expiden en las barracas, saladeros y especialmente en establecimientos análogos"*.

(El Art. 7° del Cap. II del Reglamento de la Fábrica de Carnes Trinidad, que maneja Raúl Jacob[110], establece que: *"Las cuentas se arreglarán después del 15 del mes siguiente, con órdenes sobre Montevideo o sobre la casa de negocios, para pagar lo que deban"*).

Francisco Piria sale a la prensa y, luego de una larga exposición en la que ataca a los *"espíritus mediocres"* y realza su lucha contra *"la filoxera, las plagas, la maledicencia, el agio y la usura"* termina diciendo que *"la culpa de estos injustificados ataques a mi derecho y a mi propiedad la tiene La Tribuna Popular, diario que hace oposición al Sr. Ministro* [diario del cual] *yo soy co-propietario"*.

Entre la encendida defensa de sus intereses, ataques al gobierno y las citas de la **Historia Romana** de Oscar Pío, que domina a la perfección, también hace saber que se le pretende cobrar un *"impuesto de abasto"* de $ 1 por cabeza injustificable, ya que carnea solo para el consumo del establecimiento, cosa permitida desde siempre. (En este punto los libros de contabilidad a los que se tuvo acceso, arrojan un matemático consumo de un quilo de carne por empleado y por día, que ameritarían, por lo menos en cuanto a los libros contables, que no se carneaba "para afuera" o para comerciar con la carne).

Trabajadores y empleados requerían una escuela para sus niños.

El fallo del gobierno, con la firma de Herrera y Obes y Francisco Bauzá, *"no obstante lo dictaminado por el Ministro Fiscal"* (que había autorizado a Piria el sistema de vales) es contrario a los vales, basándose en *"la prohibición de usar billetes"*, que sólo pueden emitir *"las instituciones bancarias"*.

Perdido por perdido, *La Tribuna Popular* le busca un remate resonante con el título de "Unanimidad de la prensa Independiente"[111] tras el cual el periodista consigna que toda la prensa (salvo su antagonista *El Bien Público*, quien *"usando viejas mañas"* apoyaría a Bauzá por *"afinidades religiosas"*) *"condenó sin ambages"* el decreto del gobierno.

Trece años después, en 1916 –año del despegue de Piriápolis por la incorporación a su infraestructura vial del puerto y del tren interno– el enfrentamiento sería directamente con los obreros.

Sacudido el mundo por las reivindicaciones sociales que levantaban los asalariados, dice Carlos Rama[112] que *"el Uruguay se convirtió en el primer país de América por el nivel de vida de su proletariado, por la protección legal de los gremios y se consolidó un movimiento obrero espontáneo, activo, vigoroso, arraigado en el pueblo y celoso defensor de las libertades públicas y sindicales"*, y más adelante que *"José Batlle y Ordóñez no solamente interpretaba al sector más esclarecido de la burguesía nacional, sino a su naciente proletariado..."*.

En este marco se había fundado en 1905 la poderosa FORU (Federación Obrera Regional Uruguaya), anarquista, que tildaba a los socialistas de "reformistas" y a cuyo prestigio sumaba el procurado por la adhesión de figuras de la talla de Florencio

Sánchez, entre otros. El gremio de los picapedreros era uno de los que integraban la FORU, gremio compuesto en su gran mayoría por centroeuropeos venidos antes y durante la guerra de 1914. Un número no determinado de ellos trabajaba en las canteras de Piriápolis. "¡AL FIN!", con mayúsculas y signos de admiración tituló el *"semanario anarquista de combate" El Hombre*, la noticia de la huelga de *"Piriápolis, propiedad del literato y explotador Francisco Piria... [los obreros] se han levantado en huelga a causa de los miserables salarios que perciben y por los malos tratos a que están sujetos por los canallas del referido lugar de Turismo".* Con un *"¡firmes en la huelga, compañeros!"* saludaba a quienes, decía, eran *"mal tratados y mal comidos"*, residían en *"cuchitriles"* y trabajaban en unos *"talleres"* que no eran visitados por los *"diplomáticos de visita"**. La Tribuna Popular, el 26.10.1916, bajo el título de "Huelga en Piriápolis", publica el comunicado de la FORU según el cual *"todo el personal de la empresa de Francisco Piria, en número de 400 obreros (de varios oficios), se levantaron en huelga ayer. El paro ha sido completo [...] Los obreros reclaman el derecho de tomar agua durante las horas de trabajo, aumento de salarios, que el horario no exceda las 8 horas de trabajo...".*

Cinco días después[113] se detallarían las reivindicaciones obreras que consistían, fundamentalmente, en:

1. Aumento de $ 0,10 para el peón de mano (de $ 1 a $ 1,10), y aumento de $ 0,20 para los picapedreros, barrenistas, albañiles, mecánicos y herreros (los sueldos de estos oscilaban entre los $ 1,20 mínimo y $ 2,50 para los oficiales).

2. Cumplimiento de la ley de 8 horas.

5. Poder fumar y beber agua cuando tengan voluntad.

6. En contra de los despidos sin causa justificada.

10. Horario de 10 horas para obreros y agricultores.

11. Que no se tomen represalias por la huelga.

La ley batllista Nº 5.350 que regulaba los horarios de los asalariados ("ley de 8 horas") tenía un año de vigencia y la prensa consultada durante los días del conflicto de Piriápolis publica casi a diario la lista de las empresas que no la cumplían y que eran multadas por la Oficina del Ministerio de Trabajo (el 27.10.1916). Se multaba a *"un café, una tienda, una joyería, al café del Ateneo [reincidente] y a varios negocios de Nico Pérez".*

El otro semanario anarquista, *La Batalla*[114], se quejaba amargamente de que el batllismo había robado las banderas socialistas, ya que *"a falta de elementos socialistas de importancia, contamos con un gobierno que hace sus veces [...] legisla sobre el trabajo al estilo socialista [...]"*, y con respecto a la ley de 8 horas, denunciaba que el propio Ministro de Hacienda entendía *"que el horario de 8 horas es para haraganes".*

(*) El folleto de Piriápolis de este mismo año promociona, dentro de los veintinueve *"paseos"* para el turista, las *"excursiones a los Talleres"* y a *"Las Canteras".*

A los dos días de *"paralizado el establecimiento"* se comunica⁽¹¹⁵⁾ que *"los huelguistas, casi en su totalidad marchan a pie a Montevideo"* y que la *"actitud [correcta] de la policía ha evitado disturbios"*.

Luego de otros dos días, la FORU invita a un mitin en el "Centro Internacional", *"en solidaridad con los obreros en huelga"* y luego... el silencio. A todo esto, el semanario *El Socialista* ni se dio por enterado del conflicto: con respecto a la problemática social destacaba las contradicciones del Partido Colorado, *"progresista"* con Batlle pero que cohabitaba con sectores que veían con *"alarma las avanzadas leyes sociales"* de aquél.

Las touristas *pioneras practican tiro al blanco en la costa. El Hotel Piriápolis estaba en construcción.*

¿Qué hacía o decía, mientras tanto, el patrón? Decir, no dijo nada. El inusual silencio por parte de quien con tanto placer conversaba y publicaba sus pensamientos, parece indicar que no las tuvo todas consigo en el enfrentamiento con la combativa FORU que, por otra parte, había elegido una fecha estratégicamente vital para el conflicto, como lo es un fin de octubre, en pleno lanzamiento de la temporada turística.

El 31 de octubre, el mismo día del mitin en Montevideo, en la página 4 de *La Tribuna Popular*, se anunciaban horarios de los "Trenes a Piriápolis", *"previniendo"* a los turistas a que hiciesen las reservas.

El primero de noviembre, el corresponsal del diario *El Día* informa con respecto a las reivindicaciones obreras que *"Piria no accedió a ellas y después de unos días llamó a todos los obreros en huelga y los que no quisieron reanudar la tarea cobraron sus haberes y se retiraron"*. Luego de destacar la correcta actitud policial, concluye diciendo que *"actualmente la huelga continúa"*.

Piria, que sigue sin referirse al conflicto, publica el 8 de diciembre, el clásico "Día de las Playas", una nota escueta: *"Para Buenos Aires de Piriápolis"*, que informa del arribo al puerto de Piriápolis del vapor "Punta Ninfa" con cargamento de durmientes, llevando de retorno 1.000 toneladas de granito en bloques. *"¡Piria, el visionario, al fin triunfa!"*

Lo fragmentario de la información recogida plantea más interrogantes que certezas, no pudiéndose arribar en el tema más allá de consideraciones generales. El silencio de ambas partes en los meses siguientes, ¿indica una salida negociada, un

Hotel Piriápolis

"empate" honorable? Ni la combativa FORU, con sus dos semanarios, ni el "bombástico" Piria, eran propensos a callarse la boca así nomás como efectivamente lo hicieron. De los testimonios directos obtenidos, surge que unos años más adelante los salarios habían superado el 10% exigido por los obreros y se cumplía con la ley.

El nivel de salarios abonado en Piriápolis –por cierto nada brillante– alrededor del cambio de siglo era el que normalmente se abonaba en "la campaña (dos libras = $ 10), de acuerdo con los estudios de Luis Alberto de Herrera y los informes de la Asociación Rural.

Del Libro Diario de 1899-1900, surge que prevalecían los sueldos de $ 8 y $ 10 (siempre con casa y comida); luego hay un nivel de $ 12,50 que sube a $ 30 para Santiago Meza, el "pulpero" y a $ 40 para algún extranjero.

Paralelamente al desarrollo del turismo, los salarios fueron superando el nivel medio del país, fundamentalmente los que se abonaron en la hotelería y la gastronomía (el violinista de la orquesta del Hotel Piriápolis de 1925 percibió $ 65 mensuales, superior a los $ 55 que en el mismo año recibió el guardia aduanero del Puerto del Inglés, en un momento en que el codiciado empleo público era remunerado muy por encima del privado).

Se tienen datos minuciosos sobre la alimentación que recibía el personal[116]: 1 quilo de carne por día, 300 gramos entre fideos, arroz y porotos, cuatro galletas, y por mes, un quilo de azúcar y un quilo de yerba, de donde queda patentizada la "tirria" que sentía el rematador con respecto al mate y el alto precio relativo de la yerba: los precios de 1899/1900 eran los siguientes: carne $ 0,07 y $ 0,08; fideos, de $ 0,07 a $ 0,11; porotos $ 0,11; arroz $ 0,08, y yerba $ 0,05.

Con respecto a fumar durante el trabajo, no se han obtenido más informaciones (el reglamento de trabajo no establece nada al respecto mientras que el de la Trinidad lo prohibía); los testimonios recogidos sobre el asunto del agua, indican que los capataces acusaban a los obreros de "hacer sebo" con el pretexto de dirigirse a un barril de agua a veces alejado del lugar de trabajo, problema que intentó solucionarse mediante un gurí que hacía el acarreo del jarro a pedido del sediento.

De Pedro Medina Romero, que nació en 1915, y que *"era un gurí"* cuando habrían sucedido los hechos que narra, se transcribe el testimonio, con la obligada salvedad inicial de que el resto de los siete interrogados declara *"no saber"* y no *"estar enterados"* de los mismos.

"Una vez le quisieron hacer una huelga al viejo Piria" –dice Pedro Medina– pero Piria *"hizo venir la Policía y los sacó a todos y se acabaron las huelgas; yo no sé por qué sería la huelga, sería por los sueldos... Sé que vino y los fletó, los embarcó a toditos, los llevó a la estación de Pan de Azúcar y los embarcó, el que era de Treinta y Tres para Treinta y Tres, el que era de Rocha para Rocha, para un lado y para otro; los embarcó con los pasajes para que se fueran al país de ellos; la gente que hizo la huelga era gente que trabajaba en Central y en Talleres, había algunos gringos pero no muchos".*

No se pudo confirmar la tradición oral que corre por la otra "parte", por la familia Piria, en cuanto a que mucho delincuente vino en busca de un trabajo transitorio en Piriápolis, amparándose en la lejanía del lugar. Dice Medina que *"hubo mucha gente que venía de todos lados y había cada lío que le volaba la gabardina. Lío de pelea, porque era toda gente de avería, de armas llevar. Hay una anécdota, que después le pusieron letra en una décima, cuando mataron a Mora, que peleó en el boliche de Anselmo. A la mujer de Anselmo también le pegaron una puñalada, a Isabel Bonilla; y después Anselmo los sacó para afuera a garrote y allí se murió. A Mora lo degollaron, prácticamente".*

Los 59 artículos del reglamento de trabajo de Piria (véase Apéndice) comparados con los 20 de la fábrica Trinidad, hablan más de la mayor minuciosidad del hijo de italianos que de su diferente rigor: en sustancia, ambos manifiestan una misma severidad, reflejo, para Raúl Jacob[117] *"de una época alejada de los beneficios de la legislación laboral".*

Son casi idénticas las disposiciones de ambos en cuanto a:

–los feriados: aparte de los domingos, la Trinidad otorga el Viernes Santo y la Navidad; el reglamento de Piria agrega el de Año Nuevo a los otros dos religiosos; (Art. 53)

–prohibiciones de las bebidas alcohólicas y del "juego de lucro"; (Arts. 36 y 41)

–multas por roturas de herramientas; (Art. 16)

–limpieza de las habitaciones;

–horarios para el silencio nocturno. (Art. 21)

El Art. 17 del reglamento de Piria indicaba que *"los encargados de cuadrilla"* para *"amonestar a algún peón"* debían *"llamarlo aparte"* y observarlo *"de buenas maneras".*

Algunas diferencias marcan a las claras el carácter del rematador. Así, mientras que en la Trinidad serían expulsados quienes promovieran *"cualquier tipo de escándalo de grito o de pelea"*, en Piriápolis estaba absolutamente prohibido, bajo pena de despido, *"las discusiones sobre los partidos Blanco o Colorado".*

Y, a la "viveza criolla" que usaron muchos "ché-canario" acostándose a dormir la siesta abajo de un tala perdido entre las sierras, opuso Piria una "avivada" sutil en el reglamento, ya que, mientras se llamaba al trabajo con dos sonoras campanadas ineludibles, solo una silenciosa bandera alzándose *"en el puesto Central a medio-*

día" marcaba la suspensión del trabajo. Es de imaginarse que siempre alguien trabajaría unos minutos de más, entre las miradas de reojo a la bandera de la Central.

No es de extrañarse tampoco de las quilométricas medidas de las cartas a los hijos por parte de quien en el reglamento especificaba que *"todo peón que orine en el patio o alrededor del Central, o haga sus necesidades afuera del escusado, será multado en $ 0,25 y si reincide será despedido"*. (Art. 57)

Una recorrida por el cementerio de Pan de Azúcar (allí se debe viajar por cementerio y prostíbulo, prohibidos en las zonas turísticas: una confirmación del alejamiento de la muerte y el sexo que quiso el "disciplinamiento civilizado", de acuerdo con la tesis del profesor Barrán) pone de manifiesto, con sorpresa, la ausencia en las losas de una mayor proporción que la habitual de apellidos "extranjeros". ¿A dónde fueron a parar aquellos picapedreros rusos, yugoslavos, armenios, etc., que trabajaron en las canteras? ¿No regresaron de la marcha a Montevideo de 1916 y quedaron trabajando en las canteras de La Paz? Si tal aconteció, fueron reemplazados por otros extranjeros –en 1930 seguían componiendo la mayoría del personal de la cantera según testigos– que tampoco sentaron raíces en Piriápolis. La muerte de Piria en el 33 *"cayó como un gran silencio"* –dice Pedro Medina–, *"y durante un mes no se trabajó"*. Fuese por la huelga o por la falta de Piria, otros destinos lejos del balneario buscaron los esforzados picapedreros.

Opiniones y testimonios sobre Francisco Piria

Aunque un buen número de los lectores piense que el juicio sobre Francisco Piria debe centrarse –desapasionadamente y a la distancia– sobre la poco menos que increíble tarea llevada a cabo en unos inhóspitos arenales, alejados varias leguas de la estación de ferrocarril más cercana y que, al cabo de un par de décadas, son transformados en una urbe industrial y turística, sin el más mínimo apoyo del Estado (o, aun teniéndolo en contra), fue deber del investigador rastrear si la "leyenda negra" que circula en parte de la población piriapolense moderna, se apoya en fundamentos concretos.

El peso intelectual de Mario Benedetti y Hugo Alfaro, el prestigio de la palabra escrita, hacen ineludible comenzar el análisis por aquí.

Comienza Alfaro su libro *Mario Benedetti*[118] diciendo: *"En el comienzo fue Francisco Piria"*... continuando luego con precisas y ricas imágenes que describen al abuelo de Mario, Brenno Benedetti (en los libros de contabilidad de la "Central" figuran también José y Ramón Benedetti trabajando en Piriápolis) peleándose con Piria, por *"incumplimiento de contrato"* y partiendo hacia Montevideo sin otro auxilio que sus pies ya que –a estar al relato del abuelo al nieto– el patrón le habría negado el pasaje en su barco para trasladarse a la capital.

Si bien los "hinchas" del escritor uruguayo compartirán el aserto de Alfaro en cuanto a que sin la acción de Piria (que trajo a Brenno de Italia), *"no tendríamos hoy a Mario"*, éste es un sesgo tangencial que no hace al asunto: por encontrarse el escritor en España al escribirse la primera edición de este libro, no se pudo continuar esa línea de investigación, como tampoco se encontraron elementos que permitan corroborar o negar el concepto.

La seriedad de "La Industrial" en el ramo inmobiliario fue uno de los puntales de su prestigio, pero referida solamente al cumplimiento de las promesas de compra-venta.

Se tiene la impresión de "haber llegado en el momento justo" a hacer el presente trabajo: cinco personas que podían haber aportado sus testimonios "vivos" sobre Piria fallecieron en el mes que siguió a la investigación. Ocho contemporáneos de Piria han sido reporteados, de los cuales siete respondieron sobre las condiciones de trabajo en la época piriana, con o sin referencia a la persona del fundador de la ciudad.

Los noventa y cuatro años de Avelino Álvarez, que siempre anduvo "en la vuelta de Piria", le han fijado en su decir tres o cuatro frases que repite abundantemente y que hablan de su "incondicionalidad" hacia su empleador –aclaración que creemos imprescindible hacer en mérito al tratamiento objetivo que merece el lector: *"Fue muy bueno... para mí fue como un padre* [con quien estoy] *muy conforme y agradecido"*, son las expresiones de Álvarez (padre de Paula, compañera de Mario Benedetti en "La Industrial"). El agradecimiento provendría de cierta oportunidad en la que Piria le *"solucionó un problema con una escritura"* (escritura del solar en el que se levanta su casa), ya que, en lo pertinente a salarios, *"un peso, se ganaría por día,* [que] *era poco, como en todos lados"*.

Para el "correísta" Pérez (que así define su trabajo como empleado del Correo), de impresionante memoria, *"la gente vivía"*... dice que Piria era *"el padre de los pobres"* porque facilitaba, *"aun al que ganara menos, $ 1,20 menos $ 0,02 de Caja de Jubilaciones"* [...] *"los terrenos donde edificar"* y un *"corte de rancho"* (amén de la lechera de la que ya se habló) a través de Carlos Bonavita, *"el mejor administrador que haya existido"*.

"La paga no era muy buena que digamos porque en esa época él [Piria] *tenía un dicho que era así: Piria da trabajo por $ 1,20; ...la paga no era buena pero como no había mucho trabajo la gente venía de todos lados"*, expresa Víctor Sosa.

Es cierto que viven pocos negros en Piriápolis. Sosa lo recalca diciendo que la *"única persona de color fue Jacinto Gómez, de Pan de Azúcar, especialista en apagar la cal"*, de lo que deduce que Piria *"no gustaba de la gente de color"*.

"En aquel tiempo se ganaba poco pero era mucha plata" –definió de mil maravillas Juan Duarte (81 años), que, como cocinero, primero del Hotel Piriápolis y luego del **Argentino Hotel** se daba la gran vida: *"nosotros entrábamos, desayunábamos, tomábamos el aperitivo y después íbamos a la cocina"* ...Al parecer el buen trato del estómago le hace minimizar a Duarte un horario que se extendía *"desde las seis hasta las nueve y media"* (full-time), ayudado por un *"buen sueldo, que en aquel tiempo creo que eran $ 60. Don Francisco era un hombre recto, un hombre bueno, enérgico. Él no andaba mucho con los empleados, el que mandaba todo aquí era el finado Bonavita, él lo quería mucho. En aquel tiempo yo le daba de comer al finado Piria... era sencillo para las comidas, le daba de comer **cualquier cosita nomás**"*.

Esta última aseveración del cocinero echa por tierra una de las tantas novelas baratas que el tiempo y los malos periodistas –que repiten sin ton ni son– lanzaron a correr, la del "sibaritismo" de Piria. Testimonios recogidos de familiares indican que, por supuesto que gustándole la buena cocina, los extensos almuerzos domingueros en el Palacio Piria, muy concurridos, obedecían, además de a la arraigada costumbre montevideana de la época, al irrefrenable gusto de conversar del martillero, que remataba los interminables cuentos y anécdotas con *"un tazón de café con leche"* luego de los postres. (Esa costumbre, bien "de campaña", unida a la acertada descripción de las tareas campesinas, ponen una razonable cuota de duda en cuanto a su infancia italiana).

"¡Mire, amigo!... Aquel hombre parece que tuviera electricidad!", dice de Piria el picapedrero Emilio Tagliani, venido a los 16 años de Italia e hijo también de picapedrero. *"...era bajito y enérgico, y mientras vivió, todo el mundo tenía donde vivir sin pagar nada. El trabajo era duro, trabajábamos ocho horas* (se refiere a 1928) *y ganábamos $ 1,20; el personal del «telar» para cortar granito trabajaba en ocasiones día y noche. Había bloques de 10, 12 toneladas y más"*.

"Pepe" Mondelo –padre de la víctima de la dictadura Eduardo Mondelo– vino de Italia en 1930 y a poco su figura se hizo inseparable del paisaje playero que recorría mientras hubiera luz, al hombro el trípode y la máquina fotográfica de cajón cuadrado. Inteligente, chacotón, bohemio, las anécdotas le brotan con facilidad de unos labios que chapurrean el idioma castellano a caballo del italiano macarrónico:

"Mirá; había un loco [lo dice por él] *que se estaba haciendo la casa de noche; la piedra la traía de la playa al hombro* (!); *en una me ve Piria y me dice: ¿qué está haciendo? ...Y yo le digo: ¡Y ya lo ve! ...Stá cara, la piedra ...las carretas te cobran $ 0,50 per viaque... Y al otro día Piria me mandó dos vagonetas de piedra y dos de arena con el trencito, de regalo"*.

"Claro que uno era joven, y metía. Trabajaba de día, y de noche había que hacerle el amor a las muchachas. ¡Y qué trabajo daban los amoríos!, ¡no es como ahora! ¡Había que hacerse la casita, y además tenía que estudiar el bandoneón, ¡qué instrumento de porquería!, con dos espejos, si no, ¡no te ves los dedos!"...

"Piria era un individuo muy de la gente, muy del pueblo. Mirá, a mí una vez me trabajó con calidad. Yo estaba marcando los cimientos y viene –era muy curioso– observa y me dice: ¡Ya me lo imagino tomando mate en el jardín!... Y yo me digo: ¿Stá loco este Piria? ¿Qué jardín? Por entonces no había la ley del retiro, y con eso me estaba diciendo que no edificara contra la vereda... Te lo decía con disimulo, como un consejo".

"Sí, los reclamento... ¿Vos alguna vez viste un criollo que le dé bolilla a los reglamentos? Te voy a hacer el caso del «tuerto Rodríguez», un amico que yo le presté la casita que hice. Él no trabajaba, «yo cobraba, nomás», me contaba: «cuando venía Piria (durante la construcción del Argentino) *todos corríamos, y yo andaba con un puntal al hombro, yo nunca hice nada: yo tenía un puntal y andaba siempre con el puntal al hombro para todos lados; si don Francisco se daba cuenta, me corría con el bastón pero nunca me pudo agarrar... se*

La nueva ciudad muestra señas de un rápido crecimiento y aumentan los turistas argentinos.

*El Hotel Piriápolis ya es una realidad y comienza el boom.
Fotografía de un folleto de 1919.*

hacía el enojado, porque a mí nunca me echó... ¡me estás robando la plata!, decía, él sabía que había mucha gente haragana".

Pedro Medina dice que *"habló muchas veces con él"* [fuera del trabajo y que] *"era un viejo macanudo para conversar con él"* [...] *"era bárbaro, era un viejo bueno y que con los obreros era bueno, no era un hombre malo, pero seguro, era como todo..."*. En cuanto a horarios, a estar a lo que dice Medina, al fin la combatividad de los picapedreros afiliados a la FORU les debe haber dado resultados positivos, ya que *"en los Talleres se trabajaba 8 horas"* pero *"en los viñedos se trabajaba de estrella a estrella, de sol a sol"* y cuando *"caída una helada tocaban la campana y tenía que ir todo el mundo (no sé si era obligación, el asunto que íbamos)* **a correr helada***, haciendo fuego para que no se quemara la viña".*

Hemos dejado por último y ex profeso el testimonio de Tomás Sención. Este no tuvo trato personal con Piria (sus recuerdos son fundamentales, no obstante, para el relato de la inauguración del Argentino y todo lo que tiene que ver con las Usinas de Piriápolis). Pero, sagaz observador e intérprete de la sociedad, aventura una opinión que puede explicar esas reticencias e incomodidades de muchos vecinos de la ciudad con respecto al tema y que señaláramos al principio de esta sección.

"La gente no se avenía a que todo aquello fuera de él", dice Sención. Este concepto, tan sencillo y tan complejo a la vez, puede explicar muchas "resistencias" sin un fundamento específico determinado. Muy distinto es pisar un pavimento propiedad de un ente plural y abstracto como "la sociedad" que hacerlo en una propiedad de un individuo concreto de carne y hueso, por más que estén ambos casos en el mismo grado de relación con respecto al "sentido de lo mío". Es mucho más acentuada la sensación de "depender", y por ello mismo de ser "ajeno a" en este último caso y más cuando al pavimento le sumamos el agua, la luz y el transporte, por tierra y por mar. "El silencio grande" que se abatió sobre Piriápolis cuando falleció Piria y que "paralizó" a la gente durante un mes, se debería traducir, tal vez, siguiendo la línea de pensamiento de Sención, no como un sentimiento ligado al afecto o al rechazo de alguien, sino a la desaparición "**in-valorada**" del "**creador todopoderoso**".

El haber sido propietario de "vidas y haciendas" del emprendimiento piriapolense, le hizo cargar sobre sus espaldas el mote de "feudal", irónica paradoja para quien fuera el opositor más combativo a los "feudales" caudillos de su época.

Para finalizar, sin apartarnos de la estricta imparcialidad asumida, es necesario aclarar una confusión que se origina por no tener en cuenta el profundo cambio operado en la **geografía productiva**, entre el "Establecimiento Agronómico Piriápolis" de 1890 y la ciudad balnearia de hoy. Efectivamente, vista con ojos "modernos", la castillesca residencia de Piria aparece como "orgullosamente aislada" de la ciudad; muy por el contrario, su edificación –aquí nos auxilia nuevamente la semántica– estaba próxima al **centro**, a "**La Central**" que aglutinaba en su entorno los nudos vitales de la actividad productiva: bodega, viñas, canteras y talleres.

XI

SOCIALISTAS, FEUDALES, DICTADORES, MASONES, ADIVINOS Y UNA CURIOSA INTERVENCIÓN EN POLÍTICA

Aquella inquietud del hombre en el hacer, fue acompañada por una no menor en el pensar y en publicar sus pensamientos en "libros" o "folletos". (Debiendo optarse por esta última definición cuando lo escrito sea de "importancia menor", es difícil encajar lo publicado por el rematador bajo uno u otro nombre; ¿quién debe juzgar sobre la "importancia" de una cosa? La "importancia", literariamente hablando, de los "libros" de Piria estaría rebajada por su irrefrenable tendencia a reflexionar sobre la sociedad y el Estado, venga o no venga al caso, atentando contra la unidad temática, y el muy consciente y volitivo afán de propagandear sus ventas de terrenos aun interrumpiendo una digresión sobre los dioses del Olimpo o sobre el mismísimo Jesús el Nazareno. Luego de hecha la aclaración, quede en la imaginación del lector el entrecomillado, que por imprentil ahorro de ahora en adelante eliminamos).

Libro o folleto, muchas confusiones ha creado: *El socialismo trunfante. Lo que será mi país dentro de 200 años*, publicado en 1898. Por un raro desconocimiento, y no menos curioso ocultamiento de las publicaciones de Piria a nivel de los vecinos de Piriápolis, corre por ahí la leyenda de que "Piria era socialista". Nada más lejos de la realidad, no solo por la conservadora actitud política que asumiera veintiún años más tarde de esa publicación con la creación de Unión Democrática, sino también por la comparación entre lo que propone en ella y la definición de "socialismo" más elemental.

Hablando cortito y al pie, el hombre imagina una sociedad de futuro donde *"muchos regularmente ricos"* sustituyeran a *"pocos demasiado ricos"* mediante la práctica de una *"religión santa del trabajo"*, que reconociera que *"lo que acumula el millonario*[119] *es el fruto del trabajo del obrero"* y que llevara, sin saber por qué mecanismos, a una situación en la que *"pudieran vivir cómodamente todos los hombres de la tierra"*.

No propone, para arribar a esta sociedad de bienestar generalizado, la propiedad colectiva de los medios de producción; apenas anota algunas innovaciones:

–el Estado limitará las fortunas individuales a *"doscientos mil Artigas* [la moneda del futuro] *como máximo"*. Asimila al *"capitalista"* para el cual *"trabajan en sus talleres más de diez mil hombres"* con un *"feudalismo que ha cambiado de escenario"* y dice que el *"incansable emprendedor"* no debe trabajar *"por amor al dinero"* y sí *"por la satisfacción que el trabajo proporciona..."*, etc.

–*"el excedente de esa suma* [los doscientos mil Artigas] *no podrán legarlo al morir"* –prédica contra la herencia, de insistencia recurrente en el pensamiento piriano;

–*"las elecciones deberán ser legales, es decir que el ciudadano* [tendrá] *derecho de votar libremente"* –proposición que si bien no hace a la estructura económica, es socialmente progresista y que debería ser masticada todavía por más de dos décadas en el Uruguay, antes de ser tragada por la supérstite cultura patricia.

Ahora bien, más acá (exactamente 200 años) de esa proyección idílica de futuro (y autóctonamente piriana, ya que nunca citó a los utópicos Saint-Simon, Owen, Fourier, etc., entre sus autores favoritos), aparece lo que puede ser "el cangrejo debajo de la piedra": la reforma económica que quiere para su país y que coincide exactamente con las conveniencias puntuales del Piria de ese 1898, jugado a las industrias exportadoras de Piriápolis.

Efectivamente, tomando como base el presupuesto de 1896 (porque también dedicó tantísimas de sus páginas a pormenorizados análisis de los presupuestos, lejos aún en aquel feliz siglo de ser la economía una ciencia para iniciados), sustituye de un plumazo los diez millones de pesos que obtenía el Estado por intermedio de los impuestos aduaneros (el 70% del total), por los once millones que rendirá un alto impuesto de contribución inmobiliaria que él crea, modificación a la que suma el infaltable recorte drástico del presupuesto militar.

El balneario se desarrolla más hacia el Este; vista de Punta Fría en la década del 30. Gentileza del Sr. Edgardo Peluffo.

Imaginó, pues, que había que *"declarar puerto franco a todo el territorio, haciendo previamente tratados de comercio ventajosísimos para la producción nacional"*, y un *"principio de equidad"* basado en que *"solo paga contribución la tierra"*. Traducción más que clara, en plena producción vitícola y minera, de hacia dónde apuntaban sus emprendimientos económicos y las generales expectativas del empresariado industrial vernáculo antes de que el fuerte proteccionismo de los países centrales liquidara el tema.

La "revolución propietarista" con un neto sentido de venta de solares, la definiría luego –en 1908– diciendo que: *"para combatir el anarquismo debemos anteponerle el socialismo, en el que caben todas las clases sociales; es decir que todos los asociados tengan propiedades que defender, pero que nadie tenga más de lo que necesite..."*, etc.

Conveniencia de empujar una rebaja arancelaria para la exportación de sus granitos y sus vinos, o conveniencia de propagandearse una imagen progresista ante sus proletarios compradores de solares, el hecho es que los miles de folletos de distribución gratuita del "socialismo triunfante" se grabaron fuertemente en la opinión pública, como lo atestigua la atención que al tema prestara el periodista de *La Razón* en 1919, al interrogarlo sobre *"sus ideas de avanzada"*[120].

Más que de "avanzada", contestatarios, fueron los juicios que publicó en contra del latifundio, el militarismo y el Estado corrupto.

Habría que darle *"preferencia a las familias del país que con el alambrado de las estancias se han quedado sin hogar"*[121], es su proposición para solucionar los problemas acerca de la tenencia de la tierra, que pretende financiar por dos vías: 1) mediante la distribución de los cinco millones de hectáreas fiscales a sus poseedores, pero quitándole una cuarta parte que pasaría a manos del Estado, y 2) un sistema impositivo que, gravando con un mínimo tributo a las pequeñas y medianas extensiones, se triplicaba para el latifundio, salvo el caso de aquellos que, *"por cada media suerte de estancia [tengan] cuarenta cuadras de terreno cultivado, cercado y poblado por una familia labradora"*.

A su sentido de justicia se suman, en la cuestión de la tierra, unos ojitos con el signo de pesos –como los del Tío Rico Mac Pato– que imaginan el número casi infinito de lotes que saldrían de aquellas grandes estancias, confluencia que lo hace decir en el folleto de propaganda de 1908[122]: *"esa tierra **que no es de nadie y debe ser de todos**, de la que todos deben tener su parte en el reparto..."*.

Si bien cabe la suspicacia al analizar los interesados repartos de tierras, en cambio es de admirar la valentía con que arremete, en plena dictadura militar, contra *"los gobiernos que no gobiernan con el pueblo ni para el pueblo"*[123] y cuyos *"puntales son la bayonetas"*, junto con esos *"señores que forman la titulada opinión pública que ha servido **a los Varela**, **a los Latorre** [y] **sirven hoy a Santos**, por la misma razón que servirán mañana a cualquier Diablo..."*.

Esta férrea oposición a las dictaduras militares que vertebra toda su "obra", alcanza su clímax en *Un pueblo que ríe* cuando, atacando al tirano *"que maneja los dineros públicos a su antojo repartiéndolos entre sus paniaguados, abrumando de impuestos a la comunidad, ahogando impunemente el sufragio popular y no teniendo más apoyo que la fuerza bruta"*, llega, apoyándose en la historia romana, a proponer la discusión sobre la validez del *"tiranicidio"*, ya que *"ese individuo debe morir, y es obra santa el matarlo, porque más vale que perezca el tirano y no que muera un pueblo entero".*

Única –y frustrada– intervención en política: La *Unión Democrática* de 1919

A los 72 años de edad, el "tercerismo" político que proclamó desde siempre, empujado por la desconfianza hacia los "políticos tradicionales", lo lleva a ser propulsor y primer candidato de la **Unión Democrática** que en 1919 intentó quebrar el clásico bipartidismo uruguayo.

Dice Gerardo Caetano[124], quien estudió en profundidad lo que llamó "el empuje conservador", trabajo que se toma como base en el tratamiento de este tema, que la *"desconfianza hacia los otros partidos (integrados por los llamados «políticos profesionales»), llevó a comerciantes e industriales a la fundación del nuevo partido como manera, según decían, de «defender sus intereses legítimos»*. En el torrente de pensamientos que publicara Piria, en 1894 ya se había referido, aunque tibiamente, a la *"formación de un partido del trabajo"*[125].

En 1919 el primer impulso lo dieron, mayoritariamente, *"comerciantes... [que fueran] militantes de segunda fila en los partidos tradicionales, o sencillamente apolíticos"*; a pesar de tener en contra, aunque cautelosamente al principio, a los partidos y a la Federación Rural, y basados en que sería distinto *"el comportamiento electoral de las masas"* con el novedoso *"régimen de sufragio universal y secreto"*, en marzo de ese año, luego de haber conseguido las mil firmas necesarias, se nombra una Comisión de nueve miembros que preside Francisco A. Lanza y que lleva como vicepresidentes a Francisco Piria, B.A. Barrere y Juan B. Morixe.

A un paso ya de las elecciones de fin de noviembre, el 1º de octubre, en el acto celebrado en el Teatro Catalunya, el congreso elector proclama una lista encabezada por José Irureta Goyena, *"principal mentor y fundador de la Federación Rural, de prestigio casi mítico"*, y unos días después se publica la lista de candidatos a la Asamblea Representativa Departamental con Francisco Piria como primera figura.

Si bien el vocero oficial del nuevo partido fue el diario *El Siglo*, fue un periodista de *La Razón* quien le dedicara más tinta a *"Una interesantísima conversación con Don Francisco Piria"*, el *"industrial"* de la *"verbosidad pintoresca [y] eternamente juvenil"*, de *"espíritu progresista, carácter independiente y alejado de los partidos tradicionales"* por cuya causa estaba autorizado *"para juzgar la cuestión electoral con criterio desprovisto de toda pasión".*

Apasionadamente, sin embargo, con signos de admiración, le sale al cruce a la primera pregunta sobre sus opiniones políticas, diciendo que *"¡yo, de lo único que no entiendo, casualmente, es de eso!"* y que siendo *"algo enciclopédico, por mis múltiples y variadas ocupaciones a las que he dedicado mi vida entera de labor fecunda, cuando algo no me interesa, no me preocupo por ello"*. Como Piria le cuenta su juvenil enrolamiento como voluntario de las guardias nacionales, el periodista le pregunta:

"Pero entonces, ¿era Ud. blanco?", a lo que el hombre responde:

"Yo era un muchacho de 16 años que apenas podía con el fusil de chispa...".

"Y ¿Ud. sirvió con los colorados?"

"No, pero contribuí con mi peculio a las revoluciones coloradas contra los déspotas de siempre" [los caudillos "feudales", en el lenguaje de Piria].

*"Pero Ud. ha manifestado ideas avanzadas en su libro **El socialismo triunfante**..."*.

"Ríase Ud. de ideas avanzadas. Todos los que las tienen son unos chiflados y desorientados, todos son generosos de lo ajeno. Yo tengo ideas de avance inmediato, lo demás es música del porvenir para cazar pipiolos... con votos. Yo marcho. Yo avanzo. Fatti e non parole".

Luego de un desborde de locuacidad en el que defiende a su partido, acusado de ser el *"partido de los millonarios"*, diciendo que muchos más millonarios tienen en sus filas blancos y colorados; y de tratar a Timoteo Aparicio de *"gaucho inculto"*, a Latorre de *"dictador, déspota, sanguinario y regularmente honesto"*, y diciendo que los hombres se mataban *"como perros rabiosos y al ñudo, destruyendo la riqueza pública"*, finaliza augurando *"una gran sorpresa"* en las elecciones, basado en la eficacia del *"voto secreto"*, cosa que había podido comprobar en Italia.

*"Este año votarán en Montevideo –por la Unión Democrática– **más de veinte mil demócratas**... ¡veinte mil, así como suena!... [lo harán] todos los obreros conscientes de sus deberes..."*, concluye triunfalmente.

El resultado electoral, al fin, dio por tierra con el bombástico augurio de veinte mil votos de Piria, con los **seis o siete mil** que pronosticara imparcialmente *La Tribuna Popular*, y hasta con las **mil** firmas recogidas para inscribir al nuevo partido: los 658 votos recogidos liquidaron a la **Unión Democrática**, que ahí concluyó su historia (según Caetano a partir de entonces los sectores conservadores quedaron integrados definitivamente dentro de los partidos tradicionales), y habrán dejado reflexionando al rematador sobre quién lo mandó a *"meterse en política"*, por única vez y en edad avanzada*.

(*) Esta fue su única experiencia. Puede confundir la candidatura a diputado por el Partido Nacional que en el departamento de Maldonado levantó en 1922 –también fracasadamente– Francisco (Pancho) Piria, homónimo hijo de nuestro personaje. Concurre también a la posibilidad de confusión la circunstancia de que dicha candidatura fue atacada, por parte de los colorados y de una fracción blanca rival, bajo el calificativo de "pirismo", para englobar al candidato junto al prestigio del padre. (En el tema fue consultada la prensa de San Carlos –Maldonado– de 1922.

La masonería y la iglesia: "Non in fritatta"

Vaya a saber uno qué circunstancias condicionaron la vida del rematador en 1885.

A esta distancia, lo único que se puede suponer es que no le hacía la vida muy fácil el dictador Santos, públicamente denigrado por él –como se viera–. Fuese esta la explicación u otra de orden íntimo que se ignora, lo cierto es que en **Un pueblo que ríe** –publicado en ese año– hace la más implacable crítica a la sociedad, tomada en todas y cada una de sus facetas, incluso rebajando su permanente optimismo, a tal punto que lo hace anunciar la *"colgada del martillo"*, a once años de haberlo empuñado con todo éxito.

El título de la obra es por la frase *"...Y el pueblo ríe"* que, a modo de ritornello machacón, coloca a lo largo de la misma como remate de cada una de las descripciones. Una especie de coro griego con el disco rayado, que observa, crítico y socarrón, y luego juzga con aquella única y cínica risa.

No se escaparon de la volteada la masonería (que el mismo Piria integró, y de cuyo prestigio hablan elocuentemente las once logias que llegó a tener el "Oriente" en Montevideo, comparadas con los seis templos católicos) ni las jerarquías de la Iglesia.

Atacando la *"jerigonza asquerosa"* de un sacerdote –*"el famoso Padre Cúneo, aquel cura de la Aguada"*– comienza el relato diciendo que este así *"decía en el púlpito"*: *"Cuandu nostro siñure Jesú-Cristo andaba por li monte haciendo lu matrero, e que lu cudíu* [los judíos] *lo perseguivan, dun Jesú-Cristo* [que] *era muy gauchu e que fachiva la gambetta, así que nu lo podiban agarrare..."*.

Parece que el Padre Cúneo tenía el mal gusto de comparar a Cristo con un matrero para conquistar a los parroquianos y luego rifarles *"un reloquio con una cadenita di oro fino"*; pero deja aquí al cura y traslada la escena a *"una villa de Italia"*, donde *"un cura de estos"* (como Cúneo) predicaba, en momentos en que *"un pobre hombre que a la sazón pasaba por allí, arrimóse a la puerta para oír el sermón"*.

Como al parecer en éste se predicaba el amor al prójimo y la fraternidad, el cura lo terminó *"diciendo repetidas veces: ¡Siamo tutti fratelli!, ¡Siamo tutti fratelli!"* Salió el pobre y, al pasar por la casa del curato, que estaba al lado de la Iglesia, sintió algo que le tocaba el nervio del apetito... inundando todo su ser el embalsamado aroma de una provocadora tortilla que estaba puesta sobre la mesa del predicador. Recordar las últimas palabras de éste e irse al humo a la tortilla, fue todo uno para el mendigo: *"así, en menos tiempo del que yo empleo para escribirlo, él se había sentado a la mesa y engullido la mitad de la **fritatta**"*.

En ese momento entró el cura y al ver al inesperado huésped le dijo:

"–¿Cose fate qui, pesso di mascalzone?
–Signore, io mangio, ó fame.
–¡Andate a mangiare a casa vostra, che io non mantengo poltroni!
–Signori, io no o casa, ne dinnari: o fame.
–Se avete fame, andate a chercare del pane in altre parte.

*–Pero, signore parroco –repuso el desgraciado– ¿non finiste di dire nel púlpito, **que siamo tutti fratelli**?*
*–¡Fratelli, eh! sí; fratelli, pero in púlpito, ¡**ma non in fritatta**!*

Finaliza el cuento con un párrafo en el que extiende la desnuda hipocresía del cura a masones y a la humanidad entera:

"Así es la masonería, iba a decir, pero me apercibo que sería injusto, si no dijera: así es la humanidad. En efecto: somos todos hermanos... hermanos en el púlpito, ¡pero no en la tortilla!, hermanos en la boca, pero no en el corazón: ¡Mentira y farsa!"

En idéntico tono de desengaño amargo (*"A qué lado podré yo dirigir la mirada sin que se presente en toda su desnudez la carnestolenda humana?"*) relata su experiencia con los hermanos masones: *"Cuántas veces te habrá sucedido, lector amigo, encontrarte con individuos que te dan la mano simbólicamente; te tocan con el dedo pulgar tres veces, llenos de misterio... ese hombre es masón; ¿qué tiene que ver la masonería con el bombo y la farsa, observará el lector? Mucho, pues son una farsa ridícula..."*, etc.

"En un tiempo, yo también hice mi papel de astraza –continúa– *...una noche, no lo olvidaré nunca, un Don Juan de los Palotes* –dice, con seguridad por él mismo– *pisó el palito, es decir, le dio la tontera y entró en la cofradía"*, señalando luego que la principal actividad de la cofradía fue una *"chupandina, que era soberbia"*, y que puesto que el *"neófito tenía el riñón forrado"* los *"pechadores masones"* que *"en el siglo de la luz trabajan en las tinieblas"* habrían aprovechado para solicitarle los favores de su bolsillo, cosa que lo hace renunciar prestamente de la organización secreta.

La pitonisa calabresa y la filosofía

Una pitonisa calabresa se coló de rondón en la folletería de Piriápolis; luego, algunos (malos) periodistas aumentaron la novelesca importancia de la adivina al punto de ser traducida como una especie de estrella de Belén que hubiese guiado los pasos de Piria por el mundo. Al cabo, esta versión no resultó tener más enjundia que una pompa de jabón; indudablemente que existen las pompas de jabón; pero es difícil creer que su soportable levedad pueda influir demasiado en las acciones de los hombres o, por lo menos, en las acciones de algunos hombres.

La minuciosa investigación sobre la pitonisa, grabador en mano, llevó a que todas las líneas confluyesen en una única fuente: un familiar de Piria aficionado a los temas esotéricos.

El encuentro de nuestro personaje con la Eusapia Palladino, que al parecer ejercitaba la *"levitación voluntaria"*, encuentro que había tenido lugar en cierto castillo durante uno de los tantos viajes de aquél a la península, no es del caso ponerlo en duda.

Lo que sí resulta por lo menos una desmesura, es adjudicarle a tal encuentro una importancia vital en las realizaciones de aquel infatigable hombre de acción; sobre todo y fundamentalmente teniendo en cuenta que sus pensamientos, junto con sus fuentes filosóficas, fueron más que abundantemente publicados y que, salvo interpretaciones voluntariamente desquiciadas, de los mismos surge con brillante claridad que el hombre adhería al principio de que *"cada cual es hijo de sus propias obras"*. Por otra parte, sobredimensionar los consejos de una vidente en mengua del racionalismo militante que vertebra su vida, sería tan irrespetuoso –salvando las obvias distancias– como juzgar a José Batlle y Ordóñez en mérito a los consejos que recibiera del astrólogo Bernasconi[126].

La más clara expresión de sus pensamientos la encontramos en *"Mr. Henry Patrick en busca del pueblo oriental"**. Allí, luego de un análisis de las filosofías hindú, china, persa, la mitología egipcia y una pormenorizada relación de pensadores clásicos, griegos y romanos, concluye diciendo que *"todas las teogonías son transitorias. La figura simpática del Mártir del Gólgota, está cada día más fresca; la cruz que redimió a la humanidad haciendo sentar a la mesa del amo al ilota, e hizo del esclavo un hombre, marchará siempre a la vanguardia del progreso"*. Este rescate de Cristo dejando *"de lado las farsas* [y el] *aparato de la Iglesia"* y remarcando de su doctrina la igualdad entre los hombres, estaría presente permanentemente en todos sus escritos.

Paralelamente con este enfoque que resalta el *"Cristo-hombre"*, es evidente que Piria creyó en la inmortalidad del espíritu. Así, coloca junto a Platón y a Pitágoras (como pensadores que argumentaron la inmortalidad del alma y la metempsicosis, respectivamente) a Allan Kardek[127], prestigioso líder en su época del "espirismo" o "espiritismo" al que le da un tratamiento de mesurado respeto. La conclusión del párrafo, no obstante, es que *"el hombre cae exhausto en medio de ese laberinto de Dédalos* [de la especulación filosófica sobre el alma], *de donde no hay hilo de Ariadna que lo saque"*.

Terminando esta parte en la que se pretende arrojar alguna luz sobre "cómo pensó" quien quiso ser juzgado por lo que "hizo y sintió", hay que destacar que la única vez que su admiración lo hizo postrarse ante alguien, la encontramos en una recorrida que hace en el cementerio de Génova: *"En la cumbre de la montaña [...] está la tumba del gran escritor político, del gran patriota, del eminente ciudadano José Mazzini. ¡Ante su tumba, me hinqué y oré!"*[128]. José Mazzini fue un célebre revolucionario republicano italiano, miembro destacado de la organización secreta de los carbonarios que a mediados del siglo XIX enfrentó mediante las armas al papado y la clase feudal.

(*) *Henry Patrick*, nombre usado varias veces por Piria como seudónimo, fue tomado del de Patrick Henry, revolucionario norteamericano que en la Convención de Virginia del 23 de noviembre de 1775, lanzara el "libertad o muerte" artiguista: *"Give me liberty or give me death"*. Es de señalar que en algunas de sus publicaciones Piria usa la forma *Patrick* y en otras *Patrik*.

XII

UNA ETAPA HACIA EL ÉXITO: EL PUERTO, EL FERROCARRIL Y EL HOTEL PIRIÁPOLIS

Llamados por Piria los dos *"pivotes de la operación balnearia y de fomentos de las tierras de Piriápolis"*[129], no pocas vicisitudes se debieron superar para arribar al funcionamiento pleno del ferrocarril y del puerto, obras que recién culminan, combinándose, en 1916.

Aquel primario muelle de madera que servía de auxilio al puerto natural del Inglés, hubo de ser mejorado y ampliado en la última década del siglo XIX, no sin la consternación de haber visto cómo *"embicó"* en la costa el primer velero que transportaba *"materiales para el muelle"*, y haber soportado más adelante la pérdida total de otra construcción deshecha por un temporal con una *"pérdida de veinte mil pesos"*.

De muy poco tonelaje, apenas unas 40 toneladas de promedio, fueron aquellas primeras lanchas, vapores y queches (los queches eran veleros de dos palos y cuatro velas, de tráfico ampliamente mayoritario sobre los "vapores" en aquel tiempo, en la navegación de cabotaje) que registran los libros del "Resguardo del Puerto del Inglés" a partir de 1897.

Fueron esas pequeñas embarcaciones, de nombres tales como "Cacique", "República", "Charrúas", "Corsario", "Filomena", el paylebot "Arturo", la chata "64", "Sarandí", "Huracán", "Atlántico", "Segundo de Vigo" y "Roma", al mando de los capitanes Juan Parodi, Gerónimo Traverso, Antonio Ramirovich, Luis Rossi, Gabriel Palmer, Vicente Panatieri, Andrés Cuadrado, Juan Peña, Benito Brazas, Bernardo Varela, Jaime Enseñatu y J. Chaparón, las que hicieron el tráfico con Buenos Aires y Montevideo, transportando el carbón, el hierro, la madera y posiblemente el portland, hasta que en 1900 entra y sale de puerto con asiduidad "El joven Arturo", de 100 toneladas de porte. Esta capacidad de carga es a todas luces muy exigua aún para el transporte rentable de las pesadas chapas de granito, algunas de las cuales llegaban hasta las 10 toneladas.

Los libros de Aduana existentes saltan hasta 1911 cuando atraca en el muelle el vapor "Roma", de 956 toneladas, regularizándose a partir de ese año el tráfico de este tipo de embarcaciones, tal el vapor "Madrid", de 832 toneladas, que entra al puerto cinco veces al año.

Por Ley N° 3259 del 21 de diciembre de 1907, se había autorizado a Piria la *"construcción y explotación del Puerto de Piriápolis"*, para lo que se le concedía *"la introducción libre de derechos, de todos los materiales y útiles necesarios"*, concediéndose también por el mismo artículo 2° *"la introducción de los materiales necesarios para el establecimiento de una línea de ferrocarril de trocha angosta que corra entre la falda sudeste del cerro de Pan de Azúcar y el puerto de Piriápolis..."*, etc.

Las obras, que deberían comenzar *"dentro de los tres meses"* de la promulgación de la ley y *"quedar terminadas dentro de dos años"*, pasarían a ser propiedad del Estado *"a los noventa años de terminadas"*.

Ninguno de los plazos hubo de cumplirse.

Se tiene el testimonio de comienzo de las obras por comunicación que queda sentada en el "Libro de Travers" del Resguardo, por la cual Antonio Rebolledo se dirige a don Agustín Vigliola el 18 de julio de 1909, de la siguiente forma:

"Pongo en su conocimiento a Ud. que el Sr. Piria hace como dos meses que **ha dado principio a los trabajos que corresponden a la construcción del puerto** *de aquí. [...] Se ha construido un galpón de material para Polvorín, como también un galpón para peones, de zinc y madera [y un camino] al Sud, retirado a 10 metros de la mayor creciente del mar [...]* **para pasar al otro lado del Cerro por la costa del mar**, *y descubrir la cantera que ha de dar la piedra para la obra del Puerto"*.

El 2 de noviembre se daba cuenta de los adelantos de la construcción: *"25 hombres trabajando en efectivo [...] tienen la grúa armada para trabajar con ella, han construido dos nuevos galpones para los peones [y] continúan los desmontes del cerro del Inglés, como también el arranque de piedras para la escollera que mide ya como 12 metros de largo"*.

Surge de estas notas que la piedra con la que se va construyendo la escollera es la misma que al irse sacando del cerro va formando el camino de acceso al puerto.

La demora en el comienzo de los trabajos la explica Piria diciendo que *"no se tenía puerto porque la propiedad donde debía construirse no se había adquirido [y] había que esperar"*[130].

La importancia de la obra para *"el complejo Piriápolis"* y los avatares en su construcción las relata el mismo dueño, de la siguiente manera:

"Se construyó un muelle, se tiraron alrededor de veinte mil pesos. El mar bravío, en ciertos momentos, todo lo destruyó. Más tarde se pudo adquirir el terreno donde construir el puerto, pero presentado el proyecto a la Cámara se despachó con demasiada calma. **Vino la revolución** *[la de 1904], se pidió prórroga para empezar la obra y se me obligó a depositar cinco mil pesos en garantía. ¡Había que castigarme! ¡Para eso era uruguayo! [...] El puerto se hacía en mi propiedad, con mi dinero, y al cabo de un límite de años, puertos, accesorios, máquinas, guinches, vías y una regular área de terreno quedaba todo gratuitamente a favor del Estado"*.

Visión de amplitud: bahía, Hotel, chalés, desde la misma perspectiva de la foto de la pág. 19.

*"Si yo hubiera sido uno de esos tantos que vienen con «etiqueta extranjera», precedido por golpes de parche, indudablemente se me habría allanado toda dificultad [...] ¡pero había que hacer el puerto y deposité la suma! Era para mí de tal importancia y de tal colosal porvenir esa obra que ella sola resolvería mi problema, **era un pivot de toda mi operación comercial**, de la explotación de tanta riqueza [...] la gran explotación soñada durante veintidós años"* [se refiere a los granitos].

Siendo que el Hotel Piriápolis, el antecesor del **Argentino Hotel**, se inauguró el **15 de diciembre de 1905**, desde esa fecha hasta 1914 los "touristas" tuvieron como única vía de acceso la lejana estación "La Sierra", ya que es recién a partir de ese año que se registran embarcaciones de pasajeros y también el mismo año los trenes llegan a Pan de Azúcar. La primera embarcación de pasajeros registrada fue el "Capitán Malovich" que trajo desde Montevideo 610 personas en marzo de 1914, sumándose el "Madrid" a partir de abril. El vapor "Ciudad de Montevideo" hizo su primera entrada el 15 de enero de 1921 con 768 pasajeros. El posterior deterioro relativo de la importancia turística de Piriápolis, no solo surge de la comparación de los lujosos buques que visitaban los muelles ayer, al lado de la soledad portuaria de hoy, apenas mitigada por alguna chalana de pescadores; con nostalgia se aprecia también que los arribos se mantenían durante marzo y abril como si tal cosa, mientras que hoy en día ya decae el turismo en febrero y el primero de marzo es día de bajar las cortinas.

Tampoco hubo de cumplirse el plazo de noventa años: el puerto pasó mucho antes a manos del Estado por una suma de dinero que se habría negociado para atender una parte de los impuestos de herencia generados por la muerte de Piria.

Un tren instalado a "toda velocidad" y muerto en una noche

Corría el año 1914, y mientras las conquistas de la técnica que habían llevado al hombre europeo a un rápido reparto del mundo culminaban con los cañonazos de la Primera Guerra Mundial, Juan Pedro Bonilla, un hombre muy nervioso, le ponía literalmente el pecho al ferrocarril que amenazaba con seguir de largo hacia San Carlos. Fue así que los vecinos de Pan de Azúcar lograron que el tren del Este se detuviera por primera vez en su ciudad logrando Bonilla de rebote mejorar la comunicación entre Piriápolis y Montevideo[131].

El tiempo que transcurre entre 1912 y 1916 es una bisagra fundamental en los emprendimientos pirianos. Hacía dos décadas que el rematador esperaba que la *"marcha de carreta"* del ferrocarril del Este se aproximara al balneario; en esos cuatro años, al apreciar la continuación de las obras que en 1912 llegan a la Estación Las Flores, arremete a toda velocidad para instalar su tren interno que culmina en 1916 con los 18.000 metros (aproximadamente) de vía que intercomunican puerto, Estación de Pan de Azúcar, canteras, talleres, ramblas, usinas y hoteles, amén de *"tendidos complementarios"* que penetran en los bosques en varias direcciones.

Teniendo presente que recién en 1912 se comenzaron las obras del Ferrocarril, en el tiempo que corre hasta allí desde 1909, la construcción del Puerto hubo de hacerse sin la ayuda de las vagonetas para el transporte de los materiales, a puro buey y caballo, carreta y carro.

En pleno verano de 1912, mientras prevenía por la prensa[132] a los turistas que *"encontrándose completamente ocupado por pasajeros el hotel y sus dependencias [...] no vayan sin saber previamente si hay piezas desocupadas"*, se anunciaba que *"partirá, dentro de pocos días para Chile el Sr. Francisco Piria [y] su viaje se relaciona con **trabajos preliminares de la línea férrea que ha resuelto construir en Piriápolis"**.*

Por única vez se debe dar razón a la hinchazón adjetival de Piria: fue realmente *"a super velocidad"*[133] que se realizó la *"hazaña"* (y de este adjetivo asumimos la responsabilidad) de tender los 36.000 durmientes de quebracho[134] sobre los que se afirmaron los rieles de la vía de trocha angosta (m 0,75), vía que recorrían ya en 1915 las cinco locomotoras alemanas[135].

La humareda de los cañones europeos provocó que Piriápolis se quedase sin el humo del carbón mineral inglés. Como consecuencia –y esta también inesperada– de haberse apostado a los bosques, el nervioso empresario adaptó las calderas de las locomotoras para que funcionasen con la leña de aquellos eucaliptus próximos a cumplir un cuarto de

Hotel Piriápolis funcionando, rambla y balneario desarrollado.

Otra foto de Punta Fría a comienzos de la década del treinta.

siglo. También consecuencia de esta adaptación es el olor particular que se desprendía de las máquinas y que recuerdan tantos vecinos, ya que a posteriori de la escasez transitoria por la guerra, se siguió mezclando leña a la combustión del carbón.

En un boliche de Melo se conversaba de caballos. Era un verano de 1925 y el calor y la caña blanca deslizaban ya la conversación hacia esa zona cercana al disparate y, hechos ya los cuentos de aquel zaino *"que era guapo como un lion"*, del *"escuro ligero como una liebre"* y del *"moro de los Martín que galopió tres días seguidos"* fue cuando el hombre, que hacía poco había regresado de un viaje, se acomodó en la silla y dijo: *"¿sabe una cosa?... Yo vi a un malacara arriando un tren"*. Luego de dejar que se aposentaran en el boliche el silencio y en su cara los ojos de los parroquianos, dijo: *"En Piriápolis fue, sí señor"*.

Dejando Melo sin saber si se siguió atendiendo el cuento o si la gente pagó y se fue, diremos que aquel jinete que sudaba caballos galopando detrás del trencito de Piria y llamara la atención del paisano, también vino a ser una consecuencia del agregado de leña al combustible. Dicen los testigos que la leña provocaba un surtidor de chispas por la chimenea, y que en prevención de los fatales incendios, el jinete seguía el trencito en las zonas boscosas, fuera para apagar algún comienzo de aquellos si el tiempo le daba o para acudir en procura de auxilio si se extendía.

El trencito se troqueló fuertemente como una de las características típicas de Piriápolis. Su ineludible y simpática presencia pautó las horas del día, marcando el tiempo con sus dos viajes diarios a la Estación de Pan de Azúcar, delineó un espacio con el trazado de las vías, acompasó la jornada de trabajo diseminando a la gente según las tareas y se acopló a las necesidades de descanso y distracción de los turistas. Especialmente para estos los jueves se hacía una excursión al Cerro de Pan de Azúcar por una vía hecha a esos efectos; si los paseantes llegaban a las 500 personas que transportaban los 12 vagones abiertos, las dos máquinas grandes, la UNO y la DOS –una adelante tirando y otra a la cola empujando– hacían el repecho hasta el cerro, volviendo esta última a otras tareas luego, ya innecesaria para el descenso.

Los fines de semana –como se puede apreciar por las magníficas fotografías de Mondelo– los turistas que venían de Buenos Aires por los vapores "Ciudad de Montevideo" o "Ciudad de Buenos Aires", eran trasladados desde el puerto hacia los Hoteles; una vía auxiliar que permitía transportar el combustible hasta la Usina detrás del **Argentino**, también era utilizada para la descarga de los equipajes por la puerta Este del Hotel.

Además de los doce vagones abiertos –como los tranvías de Santos– y de los dos cerrados de invierno, gran cantidad de vagonetas de volcado automático, arrastradas –si la carga no era excesiva– por alguna de las tres máquinas "de maniobras" más pequeñas –"las maniseras"– transportaban material de construcción o granitos de las canteras de aquí para allá. Cuando un trabajo especial requería penetrar en algún bosque, se tendía una vía "complementaria", liviana, de quita y pon, sobre la cual trajinaba una "zorra" con algunas vagonetas.

Cálculos con apreciable margen para el error, indican que el costo de la obra, excluyendo el importe de las locomotoras y vagones, se debe haber llevado el equivalente a 400 solares de los primeros 2.500 que remató en mayo de 1912[136].

Al cabo de 22 años de trabajos tiene lugar el primer remate de solares, justamente en ese mes de mayo de 1912 en el cual se anuncia por intermedio de media página de la prensa[137] que *"actualmente se termina el magnífico puerto, la Avenida Artigas de 90 cuadras lineales [...], se activan los trabajos del Muro de Contención [y que] del ferrocarril ya empezaron los trabajos"*.

Según Piria, que aquí –aparentemente– no enfrentaba una situación como la de Joaquín Suárez que lo hizo ser tan liberal con los ceros, los 1.500 solares rematados en Buenos Aires por la firma "Bullrich y otros" le reportaron $ 1:430.000 y los 1.000 pasados bajo martillo en Montevideo, $ 457.000.

El plano del agrimensor Bonasso de 1898 había delineado 500 manzanas de 20 solares cada una (quedaban 100 libradas al uso público) y la línea de tren que se comenzaba a construir vertebraba de sur a norte el balneario (ver croquis, p. 122); si bien esta vertebración era obligada para la comunicación de las canteras con el Puerto y la explotación minera que a partir de esa fecha toma un notable incremento con la importación de maquinaria de mayor envergadura y el inmediato desarrollo de los envíos de granitos a Buenos Aires y al Palacio Legislativo que se comienza a construir, también se compaginaba con las expectativas de crecimiento de la ciudad. Este crecimiento, al fin, no se dio de norte a sur, siendo la iglesia abandonada el testimonio más elocuente del obligado "tour de force", y sí de este a oeste, paralelo a la playa, tal como aconteciera también en Montevideo.

Como se verá más adelante, el vocablo "Gestido" es mala palabra en Piriápolis: quitando el tren arbitrariamente, Oscar D. Gestido mató buena parte del alma del balneario.

No se piense que eran un trencito de juguete, no, por el diminutivo del sustantivo. No solo era capaz de arrastrar doce vagones, sino que pudo también desarrollar velocidades importantes, en perjuicio de los vasos del malacara y de los otros pingos que constituyeron aquella equina alarma de bomberos.

El doctor José Luis Chifflet, piloto de su Ford Prefect de 1948, en sus diarios viajes al Hospital de Pan de Azúcar que dirigía, varias veces apareó su vehículo con el trencito para comprobar, miradas de reojo al camino y al velocímetro, que la aguja niquelada indicaba los 70 quilómetros por hora y aun se bandeaba algunas líneas hacia los 80. Una subestimación de la velocidad de los jadeantes pistones a vapor hizo también que Pedro Barboza Sánchez por poco no se matara al pretender anticipar la máquina en un cruce, sufriendo un vuelco que debe haber enfriado bastante sus pretensiones de corredor de automóviles y que deshiciera su Austin del 48.

No persecuciones en auto y sí en base a champions y zapatillas fueron las que realizaron tantos gurises para la infaltable "coladera", por último ya asumida y permitida por los guardas que recorrían los pescantes abiertos para cobrar el pasaje, manojo de boletos en mano y tintineante monedero de cuero al costado. "¿Sabe que era lindo de ver?..." comienzan casi siempre relatando sus recuerdos del trencito los vecinos entrevistados, con el mismo tono amable de aquel "¿Sabe que es linda la mar?" del poeta Estanislao del Campo, comparación que introduce la visión del trencito recorriendo la rambla, contemplado por aquellas aguas plácidas de una "belle epoque" tan piriapolense como perdida.

A la nostalgiosa imagen anterior se debe agregar otra de distinto signo: la batalla por la instalación del tren hubo de darse no solo en el terreno de los arenales y las finanzas. A la contradicción "Estado versus Piria", prácticamente permanente a través de toda esta historia –los cinco quilómetros de carretera que luego Piria agradecería a Terra parecen más una limosna que una contribución a tanto emprendimiento– se hubo de sumar después un enfrentamiento del ferrocarril de Piriápolis versus el ferrocarril de los ingleses. Una vez establecido el tren del balneario y al amparo del impresionante desarrollo del turismo en el mismo, la Compañía inglesa comenzó a obtener pingües beneficios por la venta de pasajes a Pan de Azúcar, beneficios que trató de incrementar encareciendo la tarifa.

"Yo estoy gastando millones en Piriápolis –dice el rematador[138]– *sin recoger un centavo y haciéndole el caldo gordo al Ferrocarril* [inglés]; *la Empresa no solo no me ha hecho ninguna concesión en las tarifas y transportes de materiales, sino que suprimió los boletos de ida y vuelta que otorgaba hace veinte años, cuando había un hotel de morondanga";* [y] *"ha quitado el tránsito de trenes expresos de tarifa humanitaria... etc.".* Luego de anunciar en negrita que no hará *"correr el tren nuestro que conduce a los pasajeros de Pan de Azúcar a la playa",* termina mostrando claramente sus cartas: *"Ahora que la carretera avanza y que los vapores de la carrera van a Piriápolis, ha llegado el día del castigo –el día de la revancha– por todo el mal que nos han hecho".* La investigación realizada no permitió arrojar luz sobre el fin del enfrentamiento –presumiblemente transitorio– con los ingleses del tren.

Quien no tuvo rivales fuertes que lo enfrentaran fue Oscar D. Gestido cuando, en 1959[139] y ejerciendo la Presidencia del Directorio de AFE, ordenó la supresión del servicio.

Si bien todo el suceso debe enmarcarse dentro de la fenomenal "debacle" que siguió a la muerte de Francisco Piria, la argumentación esgrimida por Gestido del negativo rendimiento económico de la línea aparece, al cabo de los años y visto el aumento de un potencial turístico que supera con creces al resto de los sectores económicos del país, de una ceguera inadmisible.

No de otra manera lo sintieron los vecinos de Piriápolis de entonces. Hubo lágrimas. Hubo movilización espontánea. A la par que los hindúes gandhianos, la gente se colocó en las vías. Comparación doblemente paradójica, ya que esta "resistencia pacífica" se operaba aquí para impedir que los trenes abandonasen las vías, e iba dirigida, no en contra de los extranjeros, como en la India, sino en contra de un gobierno nacional (aunque estos sucesos ponen de manifiesto también el desprecio de los gobiernos montevideanos hacia los sentimientos e intereses del Interior).

Cuatro aspectos del puerto de Piriápolis hacia 1930

BUQUE "CIUDAD DE BUENOS AIRES" Piriápolis 1933

Maldonado - Uruguay - Hôtel y Balneario Piriápolis

Por lo grande del vehículo, los vecinos recuerdan el camión que atravesó sobre la vía "Paco" González López, pero hubo muchos más. La movilización popular impidió la muerte del tren. Le dio vida por un día más: de madrugada y antes de salir el sol el (mal) gobierno consumió la desaparición de las locomotoras, aunque hubo para ello de volver a colocar una máquina que los vecinos "a pulso" habían descarrilado, en un nocturno y postrer esfuerzo para evitar la pérdida de aquel trozo grande de la identidad lugareña. Un informante de la Asociación Uruguaya de Amigos del Riel, afirma que las locomotoras fueron llevadas a Empalme Olmos y allí inmediatamente desguazadas y convertidas en "fierro viejo"; la última en ser despedazada habría sido cortada a soplete, como manera de aventar definitivamente la posibilidad de que los reclamos de los vecinos de Piriápolis tuvieran eco en el gobierno. Con el tren se fue un pedazo grande de la mejor historia de Piriápolis y también el manual esfuerzo de los carpinteros de la zona140 que en Talleres habían construido la carrocería que portaron los chasis importados.

El Hotel Piriápolis:
primer jalón del desarrollo hacia el Este

Los sociólogos que apuntaron justamente la transformación paulatina del Uruguay en un "país-cáscara" por el desmesurado desarrollo de las poblaciones fronterizas, no tomaron demasiado en cuenta que la "cascarización" comenzó por la urbanización alineada junto a las costas del Este. Si bien el puntapié inicial de ésta lo dio la alta burguesía argentina y uruguaya, el mismo motivo de buscar un mejor nivel de vida huyendo de la falta de trabajo empujó hacia la costa a trabajadores y desocupados para prestar los servicios que aquel sector social requería, sea trabajando por un salario o iniciándose como pequeños comerciantes.

La inauguración del Hotel Piriápolis en 1905, marca un jalón notabilísimo en el proceso apuntado y su continuación con el **Argentino Hotel** de 1930 no indica otra cosa que el acierto de la visión de Piria en apostar a: 1) que la humanidad continuaría su camino de progreso material, 2) que aprovecharía el mismo utilizando su incremento del tiempo libre en procurar placer, y 3) que aumentaría numéricamente el contingente de personas en alcanzar este nivel.

Cortando muy por lo grueso, se puede seguir a través del turismo de Piriápolis este proceso lineal que va desde principios del siglo XX hasta fines de la década del 60, con los jalones que marcan el Hotel Piriápolis primero –concebido y usufructuado por y para una exclusiva clase adinerada– y el **Argentino Hotel** luego (con capacidad que quintuplica la del aquél), el que es secundado por los otros dos hoteles que edifica Piria: el Miramar y el Zolezzi, de "precios populares". Tras ellos, el desarrollo un poco más adelante de alrededor de 30 hoteles a los cuales acceden "capas medias". Por último, la construcción de casas y chalecitos por parte, mayoritariamente, de asalariados públicos que disfrutaron de la bonanza y prosperidad que al amparo de los saldos positivos del comercio uruguayo de la posguerra y de la democracia social del batllismo que objetaba Grompone, imprimieron al paisito el rótulo de "la tacita del Plata" (cambiado dramáticamente luego por el de "país esquina se vende"). Como un último brochazo, habría que agregar el modernísimo impulso de los "Campings", cuyo antecedente más lejano se ubica en el de la Asociación Cristiana de Jóvenes (en un predio no por casualidad donado por Piria) –y el más reciente en el de la Asociación de Bancarios–, impulso que marcaría nuevas modalidades de utilización del tiempo libre y conceptos de cercanía con la naturaleza cuyos subyacentes parámetros en el orden social ya excederían los límites del presente trabajo.

Al "Turismo-Salud" apuntó la apuesta piriana del hotel de 1905, de original y curiosa vigencia moderna, vista la distancia médica entre el presente de los antibióticos y los transplantes, y las rústicas prácticas de la Cognacquina y las sangrías del ayer.

La folletería de las dos primeras décadas del siglo constituye un elemento a la vez que valioso, elocuente de esa apuesta turística: mientras que los folletos encaminados a las ventas de solares comenzaban muchas veces despertando la ambición del posible comprador con la mención de la *"región mineral, entre Pan de Azúcar y Minas, rica en **minas de cobre y plata**"*, los que se dirigían al "tourista" lo hacían destacando las veintinueve excursiones (hoy envidiadas) que se podía realizar a caballo, en breaks o en el trencito a tantos otros puntos del complejo, de los cuales solamente dos eran marítimos; los veintisiete restantes se repartían hacia el norte, por los cerros, los parques y los bosques, sin faltar la recorrida por los orgullos industriales del fundador en *"los Talleres de granitos"* y *"las canteras de labradoritas"*, pero destacando a cada momento la función *"salutífera"* del *"hálito sano, rico en oxígeno"* sea por la salud *"que exhalan* [los árboles a través de] *sus verdes hojas impregnadas de balsámico oxígeno"*, o bien por las propiedades curativas de *"estas fuentes* [que] *son soberanas para la rápida cura de todas las afecciones del estómago y dificultades que producen las malas digestiones"*.

Excelentes serían las digestiones que realizaron los huéspedes del Hotel Piriápolis, por ese entonces administrado por Carlos Bonavita, por lo menos en lo que hace a la calidad de las comidas y del servicio: *"era una pluma aquello"* –dice don Juan Duarte, el memorioso cocinero, quien destaca un funcionamiento de la estructura culinaria de acuerdo con el fasto de la vajilla de plata importada y la vajilla de porcelana alemana: *"nosotros teníamos toda la comodidad; teníamos quien nos echara carbón en la hornalla* [de la cocina], *encontrábamos toda la verdura prontita para trabajar, no había que lavar ni una zanahoria, y la gente iba vestida con su gorrito al costado, su saco blanco y sus delantales blancos, de mañana y de tarde; Piria iba vestido de ponchito, sencillito nomás"*, agrega.

Los precios de 1915 se propagandeaban de la siguiente manera:
"Para el alojamiento y la manutención rigen los siguientes precios:
En las piezas de planta baja, por persona $ 2,50 diarios.
En las piezas frente al bosque, por persona, $ 3.00 diarios.
En las piezas frente al mar por persona, $ 4.00 diarios".

Una de las locomotoras del tren de Piria

Frente de los baños del hotel Piriápolis. Al construirse el Argentino Hotel se transforman en baños termales. Son conocidos hoy como Paseo de la Pasiva. En su parte superior funcionó el Palacio de la Cerveza y luego el Cine Argentino, hoy demolidos. Sólo quedan los arcos.

(Como se ve, no se destacaba el mar en los paseos, pero se cobraba su ubicación).

"El Hotel Miramar [después Select], ubicado en la rinconada de la playa, con excelente trato, confort y buena comida, está dirigido por el Sr. Alonso y cobra diario, por persona, $ 2.50.

El Hotel Zolezzi, verdadero hotel popular, *para familias y con buena comodidad, ha establecido para hacer reclame* [hacer propaganda] *el ínfimo precio de $ 1.50. En todos estos precios están comprendidos el alojamiento, desayuno, almuerzo y cena".*

Para los *"paseos y distracciones"*, que eran *"inacabables"*, se destacaban los *"200 caballos de alquiler"* y *"los 60 vehículos"* –volantas y breaks– desde $ 1.00 por toda la mañana, que estaban a disposición del "tourista", amén de *"el gran auto con capacidad para treinta personas que por $ 0.50 podía llevarlo al Rondpoint Artigas, a la Cascada, a la Iglesia y a la Escuela, al Castillo, al Parque de los Talleres al pie del Pan de Azúcar o a la gruta del San Antonio".*

Lugar preminente en la propaganda tiene la *"gruta de estalactitas, junto a la Virgen"* (en la falda del San Antonio, frente al mar, con *"estalactitas"* y muros excavados en la roca viva del cerro que una Intendencia de mal gusto tapó de revoque rústico) *"con un manantial de riquísima agua mineral, infalible para todas las afecciones del estómago y riñones"*, altura desde la cual se puede apreciar *"el majestuoso hipódromo con su gran pista y palcos"*. Don Avelino Álvarez fue uno de los que hubo de lidiar con los pura sangre que animaron las *"carreras [de] todos los días festivos"* y el "correísta" Pérez dice que *"la pista daba vueltas a Punta Fría y tenía una cuesta arriba: las construcciones eran de madera y piedra, con su techo correspondiente, un precioso edificio con molduras y escalinatas de madera [...] la gente* [el abandono que sufrió la ciudad a la muerte de Piria ofició como una invasión de langostas] *se fue llevando todo de a poco, hasta los ladrillos y la madera".*

Merced a Tabaré González con su Reserva de Fauna, en cambio, no hay que lamentarse por *"aquellos montes* [donde hay] *muchos venados, guazubirá, liebres, zorros, torcazas grandes, cardenales azules, zorzales y calandrias a millones".*

Aquella ancla que dice haber visto en 1890 en la falda del Cerro Pan de Azúcar, con el transcurso de los años y del "bombo", se le afirmó en los folletos como *"del período del descubrimiento de América"*, y los posibles indios que la habían llevado hasta allí terminaron siendo nada menos que los *"indios salvajes que se comieron a Solís crudo".*

Los que sí deben de haber sentido ganas de "comerse crudo" a Piria son los propietarios de cuarenta hoteles de Montevideo cuya lista de precios, para que se coteje negativamente con los hoteles de Piriápolis, publica "gratis" en la última página de una edición que dice que será de ochenta mil ejemplares. (Los cinco más caros que encabezan la lista son el "Pocitos", "Del Parque", "La Alhambra", "Oriental" y "Lanata").

Los principales paseos, estratégicamente ubicados en la periferia montañosa del valle de Piriápolis como manera de extender al máximo el espacio –y de cuya descripción nos excusa el abundante tratamiento de la folletería contemporánea– destacaron en la propaganda la fuente de Venus, la Virgen de los Pescadores, la fuente del Toro que *"los médicos más famosos"* recomendaban por su *"rica y cristalina agua mineral, **radiactiva**"* (¡hasta el prestigio de la recién descubierta radioactividad aprovechaba el hombre para hacer propaganda!), la Cascada de aguas ferruginosas (para la anemia, aunque no contenga ni más ni menos hierro que cualquiera otra cañadita de la vuelta), el Castillo y la *"Selva Negra"* donde *"no penetran los rayos solares"* y se recomienda *"ir acompañados por un guía"*, recomendación que sí se pudo comprobar como totalmente válida[141] y no fruto de la *"bombástica"*.

El perfil estructural que tomó el balneario por la configuración de la rambla con su murallón, rond-points, macetones de material y la arquitectura que le accedió, fue el que marcaba la época en Europa: el creador de la ciudad, que recorrió prolijamente todos los balnearios europeos y sudamericanos, si bien a veces dice que Piriápolis *"es la Niza"* de Sudamérica, cuando se toma un poco más de tiempo coloca juntos en su admiración y posible fuente de inspiración –después de todo no hay demasiadas opciones diversas en la construcción de una rambla– a *"Trouville en Francia, San Sebastián en España, el Lido en Venecia, Scherwennis en Holanda"*, e incluso, *"un nuevo"* balneario que se estaba construyendo por aquellas épocas en la Génova de su padre, y de sus amores.

Dentro de los conceptos que manejaban los profesores de Estética del siglo XIX[142] al hablar de *"la confusión en las artes"*, fresca la *"insurrección del romanticismo"* y la *"querella entre los antiguos y los modernos"*, se ubica la descripción que hizo el jefe del departamento de Historia de la Arquitectura, profesor Ricardo Álvarez Lenzi, de las primeras construcciones de Piriápolis. Para éste, en el Castillo, terminado de construir en 1897, contrasta el austero y rotundo encare medieval del pequeño e incómodo interior, con la mezcolanza estilística externa donde se hibrida el gusto medieval de las almenas y la arquería, con elementos del clasicismo en los cuales, a su vez, se mezclan, como en los capiteles, hojas propias del corintio con volutas del jónico. Contribuyen a la mezcolanza *"elementos postizantes"* como las falsas ventanas y unos lebreles a la entrada que resultan *"incrustaciones de otra naturaleza"*.

Construido unos años después, el Hotel Piriápolis ya tiene claros elementos de *"modernismo"* o *"art-nouveau"*, como se le llamó a la modalidad belga y francesa, aproximándose a la propuesta estilística de "Les Mouettes", construcción esta que llama la atención por su correcta definición y que construyera la familia Piria en la falda del cerro San Antonio. Elementos característicos de este estilo –que pueden apreciarse en Montevideo en el Instituto Vásquez Acevedo y en los pabellones de la Exposición Rural del Prado–, son *"la estilización de elementos vegetales, sobre todo florales, los vitraux de colores, el trabajado de los balcones de hierro, etc."*, variando las propuestas de acuerdo con las diferentes escuelas.

El Hotel Colón, uno de los protagonistas del paisaje urbano por su estilo y estratégica ubicación (que fuera propiedad de la familia Piria primero, y de los Anchorena después), hoy felizmente restaurado, sería una réplica del **petit-hotel** francés definido constructivamente por *"el **pan de bois**, recuadro de madera que proviene de la Edad Media y del Renacimiento"*, mezclándose en el Hotel con elementos del Art-Nouveau como el revestimiento de azulejos de la entrada.

El continuado avance que vivió el país desde el principio de siglo cuando se inaugura el Hotel Piriápolis, hasta 1930 cuando abre sus puertas el **Argentino Hotel**, tiene su correlato en la ciudad balnearia con la incorporación del tren, la llegada de los vapores de Buenos Aires al puerto inaugurado en 1916, y el arribo del tren desde Montevideo a la estación de Pan de Azúcar en 1914, mientras que a la infraestructura estrictamente turística se agregan además de los puntos de atracción descriptos, un Hipódromo y una Cancha de Golf ubicada en el actual "San Francisco", para la cual hubo que implantar panes de césped sobre las dunas.

Entre uno y otro hotel, el mundo se había visto sacudido por la guerra del 14, el Uruguay salía Campeón Olímpico de fútbol en el 24 y en el 28, y el campeón de los rematadores, sacudido por la guerra –esta permanente– que le daba el mar, tuvo que rehacer completamente la rambla deshecha por la furia del temporal de 1923, tarea que se comenzó al otro día de parar el viento y que se completó luego de un año bien cumplido de esfuerzo permanente.

Gran Salón del Hotel Piriápolis en 1918

El tren de Piria en la subida de la calle Sanabria.

Ruinas actuales del hipódromo de Punta Fría. Hacia 1929 fue transformado en cancha de golf. (Fotografía Carlos contrera).

El castillo de Piria en una tarjeta postal de 1926.

La playa de Piriápolis a fines de la década del treinta.

XIII

TRIUNFO TOTAL: EL ARGENTINO HOTEL, 1930

Aunque recién se colocara la piedra fundamental del **Argentino** en 1920 con la presencia del presidente Baltasar Brum, ya desde 1912 rondaba la idea del hotel monumental en la cabeza del rematador que decía en el folleto de ese año[143] que *"en cuanto consiga el establecimiento del Casino* se dará principio al nuevo hotel con capacidad para seiscientas personas, con ochenta cuartos de baño calientes y fríos de agua dulce y de océano, con comedores colosales, sección gimnasia, sección ortopédica, eléctrica, teatro, salón de baile, jardines de invierno, en fin, algo monumental, cuyos planos está perfeccionando el arquitecto oriental señor Jones Brown".*

Como se verá más adelante, la buena marcha del país, del turismo y del *"Balneario del Porvenir"* le hicieron rápidamente aumentar la importancia del proyecto (el número de cuartos de baño del hotel construido superaría los ciento treinta, solamente teniendo en cuenta los ubicados en las piezas de huéspedes).

Imposible que no se grabaran en las retinas de Tomás Sención, entonces un niño de siete años, las imágenes de la colocación de la piedra fundamental en 1920, con *"las banderas de todas las naciones del mundo —porque no faltaba una sola—, como lo hacía Don Francisco en todas sus cosas [...] aquella mañana, cerca del mediodía [...] de un verano que se descolgó con una tremenda tormenta, que hasta cortó la energía de la Usina de Piria, por entonces ubicada en el Hotel River Plate, donde hoy está la librería Tabaré".*

El clima de fiesta popular con que acostumbraba rodear sus remates desde hacía 46 años lo incrementó en esta oportunidad, haciendo *"correr gratuitamente los trenes por todo el mundo, desde Montevideo por un lado y por otro desde Pan de Azúcar, San Carlos, Maldonado, Rocha, etc.... La gente era recibida con una pantagruélica comida, también gratuita, en el Parque Gomensoro [a la espalda*

(*) El Casino estuvo primero instalado en el hotel Piriápolis, luego en un salón del **Argentino**, para tomar por último la ubicación actual, desplazando al primitivo comedor del Hotel, espacio éste que sería imprescindible recuperar.

del Argentino] *donde se sirvió asado y todo lo demás que lleva una comida, como ser los postres y las frutas que venían de sus viveros que tenía al este de Piriápolis. (La fruta del establecimiento se incluía gratuitamente en las comidas servidas en los hoteles de Piria). Don Francisco Piria lucía traje y chaleco oscuro, un reloj con cadena en uno de sus bolsillos, y el doctor Baltasar Brum vestía levitón y pantalón de fantasía a rayitas finas grises y negras, media galera en la cabeza"*, concluye la precisa descripción del memorioso testigo.

A partir de la inauguración de las obras, lo que mejor registra la memoria del "correísta" Pérez en la construcción del enorme Hotel, es el *"hormiguero de gente"* en derredor de lo que resultarían aquellos 15.000 metros cuadrados de construcción, con el permanente acarreo por medio de *"un montacargas eléctrico"* de la mezcla que se preparaba a partir del *"apagado a pala"* de la cal que realizara aquel moreno especialista pandeazuqueño. Es de imaginar las vueltas que pudo dar, a través de diez años de construcción, *"el tuerto Rodríguez"* con su puntal al hombro y la cantidad de veces que atracó a puerto con material el velero de tres palos propiedad de Piria, que según Pérez *"se llamaba «Patagonia»* [y que] *cuando Piria lo adquirió le puso «Piriápolis» por nombre"*.

No contándose con los libros de "La Industrial" para datos más exactos, todo hace presumir que fue en esta década cuando *"más de mil personas"* trabajaron en el balneario, como dicen casi todos los lugareños, solamente en las empresas pirianas, por supuesto; debe recordarse que para 1930 ya se habían construido los *"21 hoteles de segunda y tercera categoría"* de que habla Piria (rebaja de categoría adjudicada solamente para destacar sus hoteles de lujo y no por desvalorizar a aquellos, ya que veía con muy buenos ojos este desarrollo paralelo).

La industria de los granitos estaba en pleno auge, y es de 1925 el folleto titulado *"El embellecimiento edilicio de la gran capital bonaerense, o sea el triunfo de Piriápolis"*, que informa cómo *"todos los pórfidos espléndidos que adornan en el Uruguay el gran «Salón de los Pasos Perdidos» del recientemente inaugurado «Palacio Legislativo»* [su construcción había comenzado en 1912] *proceden de las ricas canteras de Piriápolis"*, dando cuenta luego de que en Buenos Aires se ha construido con tales materiales en: la *"Confitería del Molino, en Callao y Rivadavia; Imprenta La Razón, de Avenida de Mayo Nº 739; Calle Victoria Nº 801; Esmeralda Nº 860; Bartolomé Mitre Nº 933; Uruguay Nº 762; Uruguay Nº 840; Cangallo Nº 1300; Avenida Quintana esquina Montevideo; Laguna Nº 53; Entre Ríos Nº 757 y Guido Nº 1180"*, indicando las variedades: labradoritas rojas claras y rojas oscuras, granito blanco y granito violeta.

El muy propagandeado "pórfido" hubo de darle mucho trabajo: Pérez fue testigo de cómo, en la falda del cerro del Toro y ya contando con compresores de aire accionados eléctricamente, por dificultades técnicas se hubo de suspender el trabajo de esa codiciada piedra, quedando un gran bloque allí cortado *"que no me deja mentir"*.

De granitos, precisamente, tomamos una anécdota que sucediera durante la construcción del Hotel. Cuenta el conocido pescador playaverdense Juan "Pato"

Argentino Hotel. A la izquierda la base del monumento al obrero, nunca inaugurado. Según la tradición oral, el trabajo del artista no cumplió los requisitos solicitados por Piria.

Los ómnibus de ONDA a la espera de los turistas

Meirana que habían llegado de San Carlos su padre, Francisco Meirana y su tío, Anselmo Meirana, ambos excelentes oficiales albañiles, a trabajar en la construcción del **Argentino**. El complicado planteo de la majestuosa escalera interior –de similitud llamativa con la del diario El Día– había "hecho largar la chancleta" a más de un oficial, para consternación de Piria a quien, como cuenta Emilio Tagliani, a veces también *"se le subía la italianada a la cabeza"*. Anselmo Meirana, hombre serio y también "de pocas pulgas", como luego se verá, le dijo escuetamente a Piria:

–Si quiere, yo le hago la escalera.

Ante la gustosa aceptación del rematador, arreglaron su construcción, habiendo éste aceptado la condición de don Anselmo de que se le pasara a liquidar el sueldo como oficial albañil y no como medio-oficial como estaba registrado.

Metro, plomada y escuadra (símbolos masones, dicho sea de paso, que no se encuentran en lugar alguno del **Argentino**, desvirtuando otra de las tantas leyendas falsas que corren por ahí) don Anselmo, *"le hizo una escalera que ni pintada"*. A estar a la narración del sobrino, todo *"fue de mil maravillas"* hasta que, unas semanas después, estando Anselmo en otras tareas, se entera de que le habían vuelto a liquidar sus haberes como medio-oficial. Enterarse y *"tirar la maceta de un envión al medio de la mar, de donde nunca se pudo rescatar"*, fue todo uno. Acercóse Piria que por allí andaba a averiguar qué pasaba; y por más que se disculpó frente al albañil diciéndole que había sido un error de la administración, al hombre no lo sacó del *"Me voy y me voy; aquí no trabajo más"*.

–¿Y qué vas a hacer, si te vas de aquí?
–Voy a poner una empresa de construcción.
–¿Y tenés plata, o créditos en la barraca?
–No, señor, no tengo nada.
–Bueno, mirá. Andá a la barraca y sacá lo que precises; trabajá con la garantía mía.

Tal fue el comienzo, según el "Pato", de la exitosa empresa de construcción de don Anselmo, constructor y dueño luego del "Puertito" homónimo en Punta Fría y recordado impulsor del fútbol local.

A la gente empleada en las canteras y en la construcción del Hotel, hubo de sumarse en 1923 y 24 otro centenar de operarios luego de un temporal que, según el "correísta" *"el 10 de julio de 1923 y durante siete días, batió la costa, no dejando piedra sobre piedra del murallón, desde Punta Fría hasta Playa Grande; [!] ...hubo que hacerlo todo de vuelta; y a los tres días ya se estaba en la reconstrucción, negreando la gente por esa rambla con palas, tablones y piedras y después de un año de trabajo, en 1924, ya estaba la rambla construida, con un refuerzo de unos pilares que se hicieron y que hasta ahora están".*

Un Hotel/Ciudad
en un Balneario/País

Si la denominación de Hotel/Ciudad se utiliza para aquellos establecimientos que otorgan al turista todos los servicios que tendrían en una ciudad, visto que el Hotel se abasteció de casi todas las materias primas del "Establecimiento Agronómico" en el cual estaba enclavado, bien le cabría el nombre de Balneario/País al Piriápolis de aquella época.

A su construcción también concurrieron además de los diversos granitos del establecimiento, la piedra, la arena, el pedregullo, la carpintería y parte de la herrería, es decir, casi todo lo "nacional" que requirió, formando un capítulo aparte lo mucho que vino del extranjero a otorgarle la categoría requerida.

Orgullo de su creador fueron las novedosas "máquinas" y hasta el agua hubo de ser elaborada[144]:

"Todo funciona a máquina, las papas se pelan a máquina, los postres y pastelerías se fabrican a máquina, hay más de 25 máquinas eléctricas. Una máquina lava, enjuaga y seca 3.000 platos por hora; otra lava 4.000 piezas de porcelana por hora. El Hotel tiene setenta cámaras frigoríficas; los hornos de pastelería pueden abastecer a la ciudad de Montevideo. Toda la leche que se expende en el Hotel es pasteurizada en el establecimiento. Las aguas surgentes purísimas producen 200 mil litros diarios y con todo se ha hecho una instalación de filtros Berkefeld; toda el agua que consume el Hotel es filtrada".

*"La panadería del horno vienés, de primera categoría, produce un pan exquisito, [...] no sólo [debido a] las harinas sino a la especialidad de las aguas y a un **chef** incomparable [que había venido] expresamente de Monte Carlo para regentearlo durante la estación veraniega".*

Los *"cien mil ejemplares"* del folleto, *"de los cuales 75.000 van a ser repartidos en la República Argentina"* (era lógico, como lo es ahora, conquistar el nutrido mercado argentino; el primer hotel playero de importancia en Montevideo, ubicado sobre la arena misma de Pocitos, también se llamó "Hotel de los Argentinos") no detallaban lo lujoso de la vajilla alemana, los finos muebles austríacos, los cristales de Checoslovaquia ni la lencería italiana, y sí culminaba, para ensanchar la oferta a otras clases sociales, propagandeando al *"Gran Pabellón de las Rosas"* donde se podía consumir *"comidas abundantes y de buena calidad [...] tres platos, pan, queso, fruta, pastelería y una botella de vino [...] durante la temporada, por un peso".* Señalando luego que *"con **dos pesos cincuenta** se hace la fiesta: autobuses ida y vuelta y almuerzo, todo por 25 reales. Esta innovación se hace para que el público sepa lo que cuesta un día completo de jolgorio".*

Relata Pérez que vio *"descargar el **pico** del Pabellón de las Rosas con la grúa del puerto"*; según el testimonio muy de fiar de Tomás de Sención, el pabellón *"que conserva los argollones donde atar los caballos, lo adquirió Piria en el remate de la **Cabaña Anaya** y tenían dibujadas en el hierro forjado de las* *columnas* [hoy cubiertas de pintura] *unas gorras de jockeys"*. Parece mucho más aceptable esta versión a la que le adjudica un origen parisino y su construcción a Eiffel. (Véase el Apéndice.) En este marco de leyenda fantasiosa, fruto del manejo desaprensivo de la información, hay que ubicar un grueso error cometido con un presunto *"primer hotel de Piriáplis"* construido en madera prefabricada y de tres pisos, asentado a la orilla del agua. La técnica de fraguar fotografías con fines propagandísticos fue muy usada por Piria durante toda su vida, dibujando construcciones que **proyectaba** realizar, sobre fotografías. La postal que provocó la leyenda de este "primer hotel" fue analizada por especialistas que dictaminaron un "falso" rotundo. El que haya adquirido, efectivamente, una construcción prefabricada para dar alojamiento en Piriápolis, no tiene nada que ver con la "leyenda" anterior.

La apuesta al "Turismo/Salud" dentro del "Hotel/Ciudad" y que luego de sesenta años fuese retomada para el actual renacimiento del Hotel, consistió fundamentalmente en la instalación en el subsuelo de un amplio sector de baños medicinales en base a las aguas, calientes o frías, que de la mar extraía un caño instalado a esos efectos. El mismo caño cumple funciones hasta hoy proveyendo de agua de mar a las modernas piscinas climatizadas. Y también trabajando hasta hoy está la enorme máquina de lavar y planchar importada, guardándose en los depósitos los repuestos de bronce que requerirá para la centuria que comienza. De este estiramiento del tiempo que se proyecta mucho más allá de la duración de la vida de cada uno y que llevó a Piria a efectuar remates a treinta años, es testigo el enorme depósito del subsuelo, donde quedan más de diez mil platos para ir reponiendo, amén de algunos –ya muchos menos– servicios de plata que se escaparon por casualidad de la rapiña que sufrió el Hotel[145] luego de la muerte del dueño, rescatado milagrosamente por la última administración[146].

Arquitectónicamente, según el profesor Álvarez Lenzi, se nota el período pasado entre la construcción del hotel anterior y el **Argentino**, ya que la *"depuración de la forma, descarnada de elementos decorativos, anuncia otros criterios, y la volumetría rotunda se emparenta con otras realizaciones montevideanas de la época, como el edificio Lapido, el Estadio Centenario y el Hospital de Clínicas"*.

En el interior, en cambio, se nota la mano de *"un arquitecto que no fue neto en su concepción, ya que no hay una conciencia doctrinaria aclara"* (¿o habrá tenido a Piria permanentemente opinando al lado de la mesa de dibujo?). *"Las columnas y capiteles del Salón Dorado contienen elementos clasicistas de una formulación algo petulante, a lo mejor destinada a una clientela muy adinerada y de gusto por lo fastuoso"*, y en la entrada impresionante se mezcla *"el clasicismo de la escalera* [de don Anselmo Meirana] *con el art-nouveau de los vitraux"* (de ornamentación floral y no astrológica como la que ostenta el diario "El Día" de don Pepe Batlle).

Si mal le cayó la tormenta a Piria cuando la piedra fundamental, peor le debe haber caído el porrazo que él mismo se dio el mismo día de la inauguración, el 24 de diciembre de 1930.

"La gente se refalaba que era un contento –dice Emilio Tagliani– *ya que el lustrado del granito era un vidrio; ni con zapatos de goma se podía caminar. Cuando Piria se cayó sentado, mandó ponerle una alfombra, pero la alfombra se corría con todo. Entonces me mandaron a que yo le colocase una losa finita para aguantar la alfombra. El día de la inauguración estaba muy contento. Pero de a ratos se le subía la italianada a la cabeza: yo hacía mucho ruido con el martillo de aire comprimido y se me vino y me dijo: «Ché gringo, ¡gringo! ¿Por qué metés tanto ruido?», tocándome el hombro con su infaltable bastón. Contesté lo que hacía y él se retiró".*

"Fue una fiesta bárbara –concluyó Tagliani–. *El día de la inauguración invitó a todo el personal".*

La Iglesia. Su piedra fundamental se colocó en 1914. Se terminó su exterior a fines de 1933, pero nunca fue alhajada ni consagrada. En esa época ya estaba netamente definido el desarrollo de Piriápolis sobre la costa.

XIV
MUERTE, VIOLENCIA Y ORGULLO: EL DESASTRE

Faltando tres semanas para cumplirse el tercer aniversario del gran Hotel, un 10 de diciembre de 1933, deja este mundo Francisco Piria, a los 86 años de edad, a consecuencia, según su nieta Miriam Piria –de profesión enfermera–, de un coma diabético mal atendido en un principio. El haber llegado a tan avanzada edad en pleno uso de sus facultades físicas y mentales –realizó en persona el remate de Punta Fría a los 85 años– se habría debido según sus dichos, sinceros o propagandísticos, a los "salutíferos" aires de Piriápolis y, según testimonios de sus contemporáneos, a un esmerado cuidado del cuerpo que lo había llevado –entre otras cosas– a construir en el Palacio Piria un gran salón de gimnasia dotado de los últimos adelantos en la materia y que utilizaba todas las mañanas, desde muy temprano.

Al otro día, toda la prensa uruguaya y argentina se ocupó del fallecimiento con similares enfoques; algún periodista[147] hubo de recordar justamente que aquel hombre *"tenaz, soñador y profético"*, cuando inició el proyecto piriapolense había recibido la *"burla de las personas prácticas"* que habían considerado su emprendimiento como una *"obra de locos"*.

Esta *"obra de locos"* había tenido una secuencialidad etaria que, más que adjetivar, acaso conviene pautar en sus jalones más notables. Solamente en lo que hace al balneario, su obra cumbre:

Año	Año de Piriápolis	Edad de Piria	Hechos
1890	0	43	Fundación de Piriápolis
1905	15	58	Hotel Piriápolis
1912	22	65	1º remate de solares
1916	26	69	Puerto y tren
1920	30	73	Piedra Fund. **Argentino**
1930	40	83	Inauguración **Argentino**

Casi todo lo que proyectó se llevó a cabo; quedaron, no obstante, algunas ideas sin cumplir, que "bombásticamente" anunciaba *"para el año que viene"* o *"para dentro de poco tiempo"* –incumplimiento tal vez no debido a su falta de iniciativa sino a la carencia de condiciones del medio– de las que anotamos las tres principales: un aero-carril que uniría la ciudad con el Cerro del Toro, o al Cerro del Toro con el de Pan de Azúcar; la extensión de la línea férrea hacia el norte de Pan de Azúcar para unir la rica zona minera con el Puerto de Piriápolis, y las 200 mil hectáreas de agricultura (si se quita un cero o dos no importa mucho) que pensó se crearían aprovechando las infraestructuras del tren y del puerto combinadas.

(Los emprendimientos bonaerenses en Punta Lara, en el balneario de La Plata y en la "Villa Presidente Quintela" –próxima a Avellaneda– hubo de abandonarlos por dificultades de urbanización el primero y de titulación el segundo, según información de los abogados de la Sucesión).

De lo mucho que pensó y publicó sobre la sociedad, el tiempo le dio la razón con respecto a su juvenil apuesta por el "voto secreto" y por el "artiguismo", vertientes de pensamiento que sostuvo cuando tales parámetros eran muy discutidos.

El último testimonio escrito –que habla más de su amistad con Luis Alberto de Herrera, tal vez, que de una toma de posición política– lo encontramos en el telegrama que envía al caudillo blanco que se encontraba en Rio de Janeiro[148], el 3 de abril de 1933 cuyo texto fue el siguiente: *"Felicítolo cristalización de ideales patrióticos"* (Herrera había apoyado el golpe de Estado de Terra).

Muerto Piria, cabe la pregunta que todo recién llegado a Piriápolis se hace, a poco de visualizar la obra impresionante llevada a cabo durante su vida y compararla con la aniquilación posterior a su muerte: "**¿Por qué nadie continuó la obra?**", o aún con menos ambiciones de "continuación": "**¿Por qué no se conservó lo hecho?**"

Parte de la clave:
un asesinato y un suicidio

Todos los testimonios obtenidos concuerdan en un punto: las dos únicas personas capaces de haber continuado –o al menos preservado– la obra de Piria, habrían sido Carlos Bonavita, el administrador de Piriápolis, o Pancho Piria, el hijo mayor (sin desmedro de la buena voluntad y cariño hacia Piriápolis de los otros).

"Una excelente persona, de gran capacidad –dice Mondelo de Carlos Bonavita– ...[que] *no te dejaba de a pie aunque tuviera que echar mano al bolsillo de él"* y que fuera *"**la mano derecha de Piria**"* para la opinión autorizada de Tomás Sención, quien agrega que Bonavita empezó *"de abajo con Francisco Piria, a los 18 años de edad, hasta escalar el puesto de Administrador General".*

"Pancho" había sido el único de los tres hijos varones que había traído un título de Europa y que con su profesión de enólogo e "ingeniero químico" se había puesto al frente de la importante bodega.

REFERENCIAS
CARTA-GUIA PARA LOS AUTOMOVILISTAS
CÓMO SE VA A PIRIÁPOLIS?

Saliendo de Montevideo se sigue la dirección que marcan las flechas rojas en el camino que conduce a Piriápolis. Cuando se llega al punto **A**, enfrentándose el Pueblo de Pan de Azúcar, se dobla a la derecha y las flechas lo conducen al balneario **Piriápolis**, al mismo centro de la Playa. El viajero cree despertar de un sueño, ante la magnitud y magestuosidad de la localidad. Todo lo que hayan visto ántes, les resultará pequeño. Piriápolis es el esfuerzo más grande que en toda Sud América haya realizado la persistente e incansable tenacidad de un hombre sólo, al que se le han impuesto miles de trabas, se le quitó el carretero, de acceso, resuelto dos veces por el Consejo Nacional, dos veces negado.

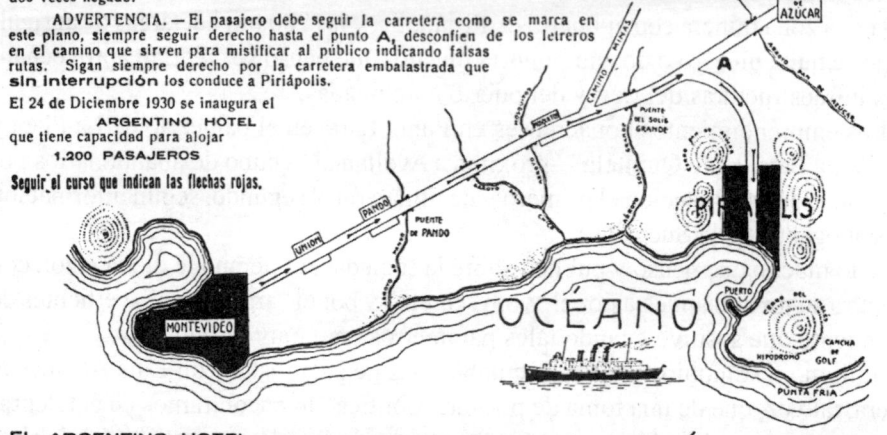

ADVERTENCIA. — El pasajero debe seguir la carretera como se marca en este plano, siempre seguir derecho hasta el punto **A**, desconfíen de los letreros en el camino que sirven para mistificar al público indicando falsas rutas. Sigan siempre derecho por la carretera embalastrada que **sin interrupción** los conduce a Piriápolis.

El 24 de Diciembre 1930 se inaugura el
ARGENTINO HOTEL
que tiene capacidad para alojar
1.200 PASAJEROS

Seguir el curso que indican las flechas rojas.

EL ARGENTINO HOTEL
No es segundo entre todos los grandes hoteles balnearios del Mundo.
Es el primero: el más colosal, el más completo y de mayor confort.
Verdadera obra monumental que surge imponente en la playa **más magestuosa del Uruguay**, playa suave, mansa, de fina arena y aguas azules.
PIRIAPOLIS lo constituye un espléndido valle cubierto por muchos millones de árboles y rodeado en forma de herradura por infinidad de cerros, montañas de 150 a 520 metros de altura, todos cubiertos de vegetación.
La parte abierta de esa herradura es la que da al mar. En el centro del valle surge la hermosa Ciudad del porvenir. La playa mide una extensión de tres mil metros lineales, y está limitada por espléndida rambla que se extiende, además del frente de la Playa, a las escolleras y hasta **Punta Fría**, midiendo esa monumental rambla una extensión de **siete mil metros lineales**, toda amurallada, pavimentada y con ferrocarril.
En esta obra colosal hay invertidos un montón de millones y pasarán muchas decenas de años antes de que en toda Sud América se haya hecho otro igual.
Debe visitarse.
Recomendamos se siga siempre el Camino como lo indica el planito, no se dejen sorprender por un letrero colocado en Las Flores en el que se da a entender que por ese camino de barro se va a Piriápolis, camino imposible para el cruce de los autos y franqueado por barrancos. **Peligroso!** Seguir las flechas del plano.

Que la habilidad con el revólver era fundamental para sobrevivir en aquellas épocas definidas por varios como de "cowboys", la tenemos demostrada con varios ejemplos piriapolenses que han quedado en el recuerdo. Cuenta el doctor Ricardo Piria que cierta vez Lorenzo y Arturo, los otros hijos varones de Piria, *"se escaparon de una emboscada que le habían preparado para matarlos y robarles la plata de la quincena en la «Zanja de los Suspiros»"* (hoy Zanja del Encanto) gracias a la intervención de un obrero *"que dio el aviso justo a tiempo, cuando estaban para salir"*; en esa ocasión se superó la situación *"tomando por un desvío"* mientras que la policía capturaba a los pistoleros. Durante la construcción del Hotel Select, también cuenta el nieto de Piria, *"un obrero que había jurado vengarse por problemas que había tenido en el trabajo"* sorprendió a Arturo Piria que acompañaba las obras dentro del hotel y *"sin decirle agua va le prendió cartucho. Un reloj, un reloj de aquellos de antes, de bolsillo, grande, que usaba mi tío, le salvó la vida. La bala pegó en el reloj y se desvió, hiriéndolo entre las costillas y la piel.*

El tipo salió para afuera y al ver a Lorenzo, mi padre, de a caballo, dijo «a vos también» y le tiró un par de tiros que mi padre esquivó agachándose bruscamente y cerrándole piernas al caballo".

Relacionado con tiros y hoteles, tampoco se puede dejar de mencionar entre la abundante materia de las crónicas policiales, el asesinato a balazos de Brusa, capataz de las obras del **Argentino** en la tercera década del siglo XX.

Fama de excelentes tiradores tenían los dos, Bonavita y "Pancho". De "Pancho" cuenta su sobrina Miriam que más de un dolor de cabeza le había ocasionado al padre cuando en Europa lo *"echaban de las pensiones por matar moscas a balazos"* (es de presumir que no les "tiraría al vuelo", lo que ya sería entrar en el terreno de los dislates, a menos que la nieta haya heredado la prosa con levadura del abuelo).

Que las balas del revólver de Bonavita eran capaces de sacarle a uno el sombrero de la cabeza o descabezar un gorrión, lo cuentan testigos: Tomás Sención presenció cuando *"un día en el patio del Hotel Piriápolis estaban Bonavita, Heber Blois, Bianchi y Eduardo Ruiz"* y al estar Bianchi a una distancia de diez metros y en actitud de abrir la puerta, le dice Bonavita: ¿Querés que te saque el sombrero? y cuando el otro se da vuelta para mirarlo, sacó el revólver y de un tiro le sacó el sombrero de la cabeza, limpito. Bonavita era el único que le ganaba a Eduardo Ruiz con el revólver –cuenta Pepe Mondelo–. *"Eduardo Ruiz cazaba perdices al píopío desde el auto, y una vez que yo estaba con ellos en el Hotel Piriápolis y discutían quién era mejor tirador, posó un gorrioncito atrás de una decoración que hay ahí, en el techo, y Carlos Bonavita le dijo: Mirá, mirá como lo bajo... se estaba riendo Ruiz todavía, cuando Bonavita había sacado el revólver, no se cómo de rápido y le había volado la cabeza al pajarito... mirá, era de comboi, de película, de película..."*.

La rivalidad de ambos tiradores que se arrastraba de tiempo atrás, por superposición de competencias entre el administrador general y el arrendatario de la bodega e "hijo del patrón", tuvo una última vuelta de tuerca al fallecer Piria. Este había dejado a Bonavita el gran chalé de dos plantas que se encuentra entre los dos hoteles, un auto y otras pertenencias.

A estar a los testimonios de los testigos, Pancho se opuso a la entrega de los bienes y... *"el hombre –Bonavita– andaba con la tragedia pintada en la cara..."*. Cuenta Tomás Sención: *"Yo lo veía en la casa de Heber Blois, un amigo de él, y de aquel hombre asustaba la gran tristeza que tenía, estaba como desencajado, lo habían dejado injustamente fuera del testamento; tenía pintado como un horror en el rostro"*.

Pronto habría de resolverse, trágicamene, la situación. Habiendo pasado un mes y once días de la muerte de Piria, el 21 de enero de 1934 las chispas del trencito desataban un incendio y al rato *"ardía todo Piriápolis, donde diera la vista eran llamas y humo"*.

Pancho y Bonavita, a las corridas por el incendio, se topan en Talleres. El "tano" Emilio Tagliani, muy cerca de ellos, vio y escuchó la discusión que enseguida mantuvieron. Bonavita le dijo a Pancho, hablando nerviosamente sobre la mejor manera de enfrentar el incendio: *"¿Por qué no mandás a esa gente a ayudar con el fuego?"*, señalando al grupo que formaban Tagliani con otros oficiales (recuérdese que, muerto Piria, la jerarquía del administrador se había rebajado con relación a los herederos directos). Pancho contestó negativamente porque *"esos son oficiales y ganan mucha plata"* y de allí salieron los dos, Pancho y Bonavita, solos, hacia el lugar del fuego.

"Se sintió de repente, uno, dos, tres tiros; salimos corriendo y como yo era el más joven de todos llegué primero.

Venía Bonavita diciendo «¡Canalla, traidor!», corriendo, venía, y había perdido el sombrero de paja de la cabeza, y otras cosas perdía, apurado; un revólver grande y negro llevaba en la mano, me quedó grabada esa impresión". Continuó la marcha Tagliani y cuando llegó al lugar *"ya Pancho estaba muerto, me acuerdo que tenía la mano en la cintura, donde tenía el revólver, pero no había podido sacarlo".*

No hay personas que atestiguen que aquel hombre que *"llevaba la tragedia pintada en el rostro"* hubiese amenazado, de camino a Piriápolis, con matar también a los otros dos hermanos.

Pero sí hubo muchas personas que presenciaron su ingreso al Hotel Piriápolis (y no al **Argentino**, como afirma una versión equivocada). Del *"Chevrolet cerrado"* se bajó Bonavita, y enfiló rápidamente hacia la entrada y, cosa que nunca hacía, *"pasó junto a Bianchi, que era el barman, se sirvió un whisky grande que tomó de un sorbo y dijo: «maté a Pancho». Como enfilara luego de paso ligero hacia su habitación, la 41, eso se lo garanto con lujo de detalles* –afirma Tomás Sención–, *Bianchi lo siguió y trató de impedir que cerrara la puerta, colocando el pie. Pero no pudo.*

Bonavita se acostó y se pegó un tiro en la cabeza con el revólver calibre 38".

Hay que destacar que Tomás Sención, de 22 años por entonces, era hijo del Comisario de Piriápolis y estuvo presente en todas las actuaciones.

Quedaron muy pocas personas en Piriápolis cuando los entierros.

El entierro de Bonavita estuvo concurridísimo.

Carmen Piria, hija o amante:
13 años de pleito

Aunque el respeto por la "privacidad" generalmente se deja de lado cuando el investigado, o "biografiado", es un personaje público –y creemos que Francisco Piria sí lo es–, durante el curso de todo este trabajo hemos mantenido distancia respecto a los sucesos de la intimidad familiar, sea por no herir susceptibilidades de sus descendientes o por no extendernos en aspectos que no tienen relación directa con la

ITINERARIO

CAPACIDAD 1.200 PERSONAS — "ARGENTINO HOTEL"

CAPACIDAD 250 PERSONAS — "HOTEL PIRIÁPOLIS"

Todos los días a las 9.05 de la mañana sale de la calle Río Negro, Estación principal, el ferrocarril que va a Piriápolis.

Todos los días a las 14.57 regresa el ferrocarril de Piriápolis a Montevideo.

AUTOBUSES

Todas las mañanas, salen de la Dársena los grandes y numerosos autobuses que conducen a los pasajeros que, de Buenos Aires van a Piriápolis.

Los hay más lujosos: Pullman, y otros de precio más acomodado.

Empresa LUCIO GARCIA:

SALIDAS: A las 6 y 30; a las 8 y a las 13.
REGRESOS: A las 6; a las 14 y a las 16.

OFICINA. Cambio Sturla; calle Treinta y Tres 1366 - Telf. 613, Central.

Empresa COOPERATIVA DE COCHES PULLMAN:

SALIDAS: A las 7; a las 8 y a las 15, de la Plaza Independencia.
REGRESOS: De Piriápolis a las 6 y 30; a las 16 y a las 17.

OFICINA: Calle San José, 843 - Telf. 404, Central.

Esta Cooperativa tiene un camión especial para conducir los equipajes de los pasajeros de la Dársena a Piriápolis.

Empresa CASTELLUCI. - (Coches Pullman):

SALIDA: De la Dársena, a las 8 de la mañana, todos los días.
REGRESO: De Piriápolis a las 18, todos los días.

OFICINA: Agencia Cambio Lopardo, 18 de Julio esq. Andes.

Empresa SALVADOR PAGANO:

SALIDA: De Montevideo, Dársena, todos los días a las 8 de la mañana.
REGRESO: De Piriápolis, todas las tardes.

Todas estas Empresas tienen a las 8 de la mañana sus autobuses en la Dársena a la llegada de los vapores.

En la Oficina de Vapores Mihanovich, en Buenos Aires, calle Cangallo esquina 25 de Mayo, se expenden los boletos marítimos, para vapores, todos los días.

Cualquier dato puede pedirse a la Oficina de "La Industrial", calle Sarandi 500, Montevideo, Telf. 1459 Central, donde un empleado atiende gratuitamente todo pedido de referencias e informaciones, donde se le puede facilitar sin que le cueste nada a las agrupaciones de turistas.

Autos para excursiones saliendo de mañana y regresando al atardecer a precios de excursionistas, que les resulte el viaje redondo y comida en el "Pabellón de las Rosas" todo por dos pesos y cincuenta centésimos.

El almuerzo sólo cuesta en el Pabellón $ 1.00 y el viaje les resultaría $ 1.50. Total: $ 2.50.

Constituye el almuerzo tres platos abundantes; pan, queso, dulce, fruta, pasteles, compota, media botella de vino y café.

Por más informes a "La Industrial", Sarandí 500, Teléf. 1459, Central, y Cooperativa.

Las personas que quieran hacer el pic-nic en el Bosque Gomensoro completamente sombrío y que mide una extensión de 600 mil metros, llevan el canasto y allí no se paga nada y está a 15 pasos de la playa.

Desde el 1.º de Enero en el bosque habrá una orquesta colosal durante todo el día: gratis.

También puede hacerse pic-nic en las Cascadas: al Este de la Fuente del Toro, en la gran altura, bosque indígena y sombrío.

Puede hacerse pic-nic en los peñascales de Punta Fría, jardines marítimos; algo nunca visto y en plenas pesqueras.

---

historicidad de la cosa, medida ésta por la calidad de los hechos llevados a cabo o por sus consecuencias en la modificación de la realidad.

Lamentablemente, la **realidad** del emprendimiento piriapolense hubo de ser modificada, en el mismo sentido negativo que operó la doble falta de Bonavita y Pancho Piria, por trece años de pleito que siguieron a la muerte de Piria, pleito durante el cual un "staff" de abogados notables sostuvo que Carmen Piria fue la amante de aquel mientras que otro sostenía que era hija natural.

La bella Carmen era argentina y había venido a Piriápolis desde Buenos Aires con su marido, el francés Gaston Berton, llamado por Piria para realizar un filme en el lugar (este filme, que sería un documento histórico invalorable, está actualmente perdido en los meandros intenderiles de Maldonado)[149].

Sea cual hubiese sido la relación, la *"lucha sorda que envolvió su aparición en la familia"*[150] hizo que el previsor y anciano rematador viajase a Bue-

En pleno boom turístico, baile en la explanada del Argentino.

nos Aires a menos de un mes de su muerte[151] y firmase allí un testamento distinto del de 1897.

Carmen Piria acreditó su filiación mediante un documento de los registros argentinos, documento que los hijos de Piria calificaron de apócrifo. Pero Piria, previendo esta objeción al documento, estableció en el testamento de 1933 que si se *"atacase la filiación"* de Carmen, ésta pasaría a percibir la cuarta parte de libre disposición que por entonces establecían las leyes, cuarta parte que resultaba mayor que el quinto correspondiente a cada hijo[152].

Carmen Piria había demostrado su combatividad –ya que no su calidad como escritora– en una plúmbea trilogía de libros que comienzan con uno titulado, precisamente, **Espectáculo de combates**. El primer cuarteto del soneto inicial (el libro es una mezcla de poesía, ensayo y máximas morales o filosóficas) da precisa cuenta de los ataques que sale a combatir la autora:

> *"No tengas, miedo, corazón, del mundo;*
> *ni si te acosan las calumnias vanas,*
> *ni si tu nombre sin mancilla sufre*
> *las venenosas y plebeyas mañas"*

en lo que resulta un combate a sus atacantes y uno no menos importante al buen gusto de sus lectores.

Superando en algo el primer tan malo como deshilvanado intento literario, compone dos novelas, **El Hijo Ajeno** y **Tan-gó**, ambas sumergidas en un trasnochado romanticismo fértil en personajes tan estereotipados como encendidos por las sublimes pasiones "ad-usum".

Un postrer homenaje a su *"amante padre"* parece ser la última frase de **Tangó**: luego del invariable y romántico suicidio del personaje, Marcos, y totalmente

El tren en las cercanías de la estación. Se observa un vagón cerrado y uno abierto. Comienzo de los cuarenta.

fuera de contexto con las peripecias de la novela, la autora dice que *"sobre esa inmovilidad eterna"* (la laguna bajo cuyas aguas yace el cuerpo) *"creció Montevideo, como una flor"*. El urbanizador de Montevideo, agradecido.

Así establecidas, pues, las cosas, y siendo irrebatible y de claridad meridiana la disposición testamentaria que salía al cruce a los posibles ataques a la filiación de Carmen, ¿a qué el impresionante pleito de trece años que a medida que hacía aumentar la altura del expediente –cuentan que el Juzgado llegó a pedir un armario a la sucesión para poder contenerlo– hacía disminuir las posibilidades de recuperación de un Piriápolis lanzado por el tobogán de la ruina?

"Se peleó por el prestigio del apellido Piria no por el dinero", dicen los familiares.

Miriam Piria, que reconoce que ninguno de sus descendientes heredó *"ni un ápice de la capacidad de realizacion del abuelo"*, piensa que el hombre, que la *"veía lejos"* y que públicamente se había manifestado en contra de las herencias, tendría previsto el pleito/ruina para que sus descendientes fuesen *"hijos de sus propias obras"* y se abriesen camino desde abajo, como él mismo.

Sin Pancho y sin Bonavita, al caos administrativo y legal provocado por el engorroso y largo pleito se hubo de sumar el gran desembolso de dinero que significó hacer frente a los legados de María Franz de Piria, fallecida en 1935. Recuérdese que la enorme fortuna dejada por el rematador estaba compuesta casi exclusivamente de bienes inmuebles y muy poco efectivo.

Cuando al fin se superó la situación, más por el pasaje del tiempo que por el ensamble de las "dos bibliotecas" de los abogados, y Carmen Piria pasó a integrar junto con sus medio hermanos el directorio de "La Industrial", transformada en sociedad anónima, ya el daño estaba hecho y fueron infructuosos los intentos por recuperar el perdido esplendor de la *"ciudad balnearia del Porvenir"*.

El odio, la violencia y el orgullo habían cobrado un alto precio.

Perspectiva de la Rambla de los Argentinos tomada desde la parte superior de los arcos de La Pasiva.

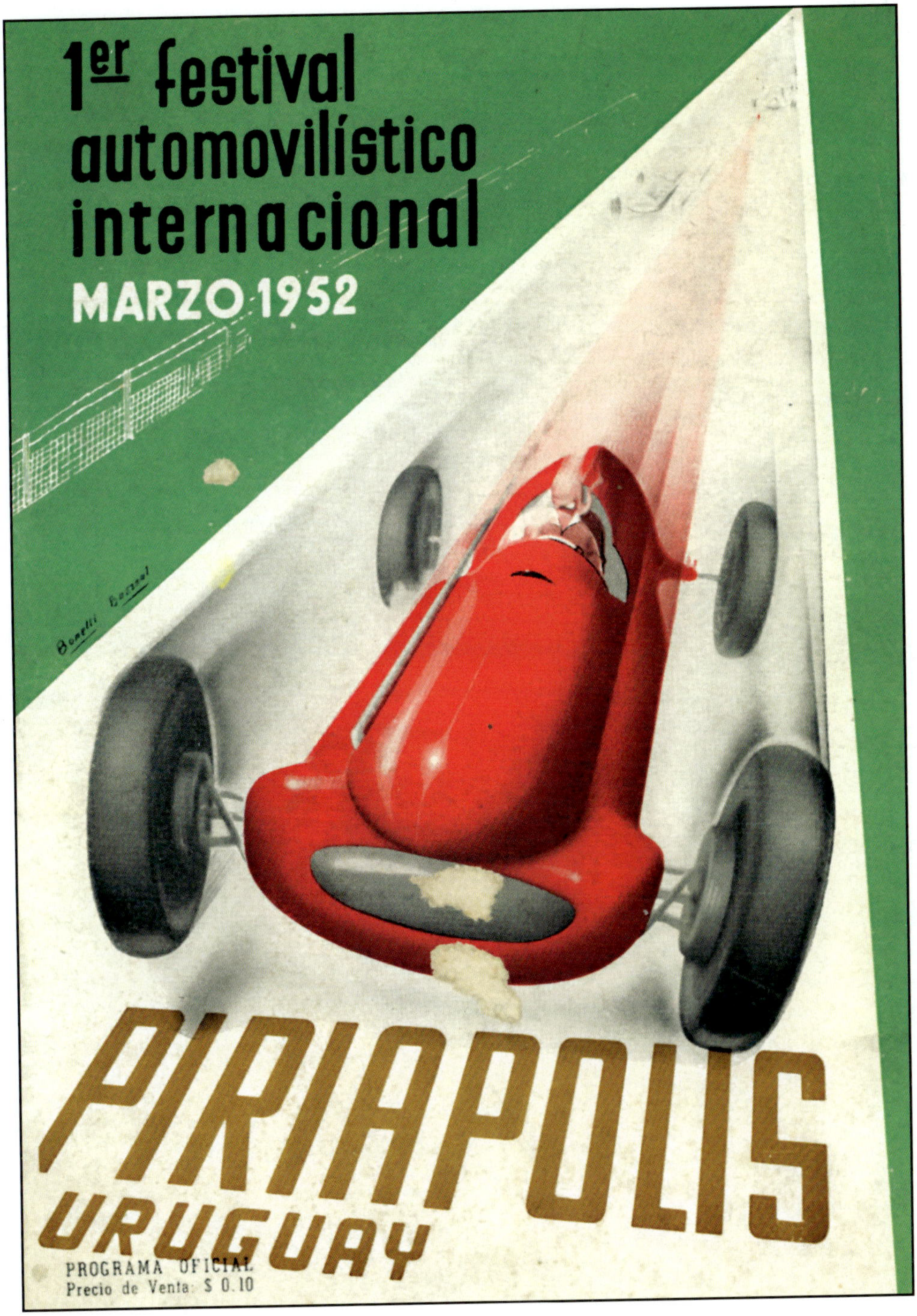
1er festival
automovilístico
internacional
MARZO 1952
PIRIAPOLIS
URUGUAY
PROGRAMA OFICIAL
Precio de Venta: $ 0.10

FRANCISCO PIRIA
EL DOMINGO próximo
A las 3 de la tarde
68 Solares al Sud
En la Avenida Larrañaga
Al lado del Camino Aldea
Cuotas de 4, 5, 6 y 8 pesos
Tren gratis à las 2
de Buenos Aires y Juncal
(Plaza Independencia)
PLANO DE UBICACIÓN
SE VENDE LO MARCADO EN ROJO
BARRIO
AVENIDA
LARRAÑAGA
BELLA
VISTA
BARRIO
ITALIANO
BARRIO BELGRANO
BARRIO
RIVADAVIA
8 DE OCTUBRE
CAMINO DE LA ALDEA
CAMINO CIBILS
GRAN
PARQUE PEREYRA
GARIBALDI
AVENIDA
CAMINO
AVENIDA GENERAL
ELECTRICO

XV
PIRIÁPOLIS DESPUÉS DE PIRIA

Manuel Balboa es español, y allá por los años 20 Piria le prestó unos pesitos *"que eran pocos, pero que era mucha plata"*, según la feliz expresión de Sención, que le ayudaron a colocar los primeros ladrillos que con el transcurso de los decenios se transformaron en el Hotel España.

Pedro Frank y Tola Invernizzi, ambos setentones, son hijos de matrimonios polacos e italianos, respectivamente, inmigrantes que comenzaron su actividad comercial con modestísimas pensiones en Montevideo y luego vinieron a Piriápolis a *"realizar un sueño"* –como lo define "Tola"–: el sueño del hotel propio, en este caso.

Las palabras de ambos pintan con colores elocuentes lo que fue el desarrollo de la ciudad y de una sociedad en la que ha quedado impresa hasta hoy el que "cada uno es hijo de sus propias obras" y estas de su esfuerzo. Ciudad "de aluvión" como las otras del Este turístico, aquí a nadie se le pregunta de dónde viene ni cuánto dinero trae: tirada la ficha del esfuerzo individual en la carpeta de la ruleta de la temporada, si la bola cae en una excelente, de acuerdo con el girar del signo monetario argentino, será el éxito; si el verano canta "cero", el fracaso. Esta característica peculiar hace que todos se sientan navegando juntos en el mismo barco, lo que contribuye a dar una sensación de solidaridad más acentuada que en otras ciudades del interior.

"Fuimos de chancletas y de zapatillas" –dice Frank– *"mi padre y yo, a una reunión en el Centro de Hoteles [...] y allí nos encontramos que había unos señores de otro balneario, vestidos de frac y con brillantes en la corbata. Mi padre decía que nosotros somos los proletarios del gremio y ellos son empresarios; mientras que ellos a mediodía se hacen servir por el personal, nosotros vamos a la cocina a hacernos de comer"*.

La hotelería de Piriápolis es atacada por su excesivo "conservadurismo", por no invertir capital –*"los hoteleros cierran las cortinas en marzo y hasta diciembre no se preocupan por nada"*, dice la gente. Frank se defiende diciendo que a esta característica se debe *"no haberse fundido"* ya que si la temporada es mala, como el trabajo es familiar, allá va *"la señora a cocinar y el niño a llevar las maletas del pasajero"*, con lo que se va sorteando la situación.

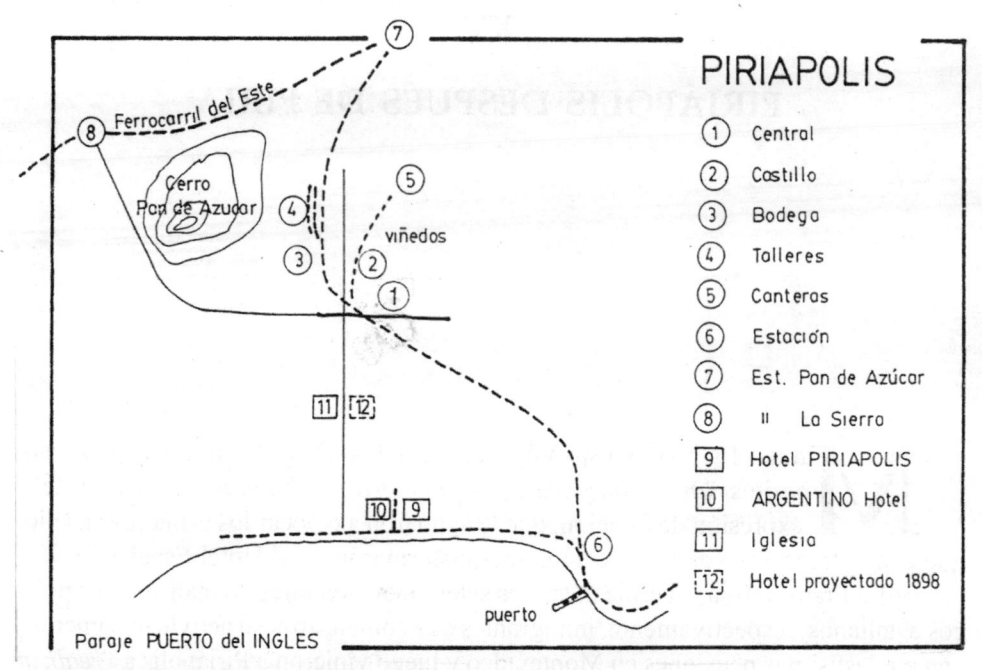

La ciudad desarrollada por Piria con el eje de la vía férrea. Croquis del dibujante piriapolense Noel Martínez.

Sobre las legendarias épocas pasadas, coinciden ambos hijos de hoteleros en destacar que se hacía una feroz competencia entre los hoteles en la oferta culinaria. *"A la hora de comer quedaban desiertas las arenas de las playas; cuando los turistas se reunían de tarde otra vez, el único tema de conversación era lo que cada cual había comido.*

Se cobraba una tarifa única y no había «extras»: los comensales se hacían servir los ocho o diez platos de la lista y hasta que no se saciaban, no paraban".

Según Frank, el moderno invento de la **inflación** (¿será una prueba de la "miseria de la filosofía" de nuestra época, el que ningún filósofo se haya animado a respondernos a la simple pregunta de "¿qué es el dinero?") fue deflacionando las comidas que pasaron de "pensión completa" a "media pensión" y a "cero comida": *"uno daba una tarifa y tenía que aguantarse con ella por toda la temporada –porque los primeros veraneos eran de diciembre a abril, después se fueron achicando progresivamente también– y si a uno le subían los precios de los alimentos, por último trabajaba a pérdida. Se inventó la «media pensión» y tampoco resultó: la gente se tomaba tres platos de sopa, se comía los postres y se llevaba las milanesas y el pan en un bolso para solucionar la cena".*

Frank destaca las ventajas del *"hotel familiar"* no solo por el balance de gastos; ese sector (tal vez tan minoritario como bullanguero) de *"porteños vanidosos e hipernacionalistas a los que les gusta sacar pecho fuera de su país, asimismo se sentiría a sus anchas en lugares modestos donde podrían afirmar su tonta sobreestima, bien soportada por la mayor educación y cultura del sobrio uruguayo medio".*

Luego de una primera etapa de una *"hotelería hecha a hombro"*, dice Invernizzi, se asiste al otro crecimiento dado por la acción del Banco Hipotecario mediante la línea de crédito a 30 años para el turismo, por la cual solamente se abonaba un cuatro por ciento anual, capital e intereses.

La plaga de la inflación, pues, para los hoteleros actuó a dos puntas ya que el resto de la sociedad pagó por los préstamos que a aquellos se les licuaron. *"Al principio"*, agregaba el "Tola" (que aunaba a su condición de pintor fuera de serie una cultura renacentística" por lo abarcativa), *"toda la gente se escondía cuando venía el cobrador a cobrar la anualidad; luego ésta se pagaba con los tres primeros pasajeros que abonaban el hospedaje".*

De las fluctuaciones turísticas provocadas por la dependencia con la Argentina, la más recordada la protagonizó Perón allá por 1952-1953 con medidas proteccionistas que, según Invernizzi, hicieron que se comenzara a tomar en cuenta el turismo nacional. En esa ocasión, el Banco Pan de Azúcar lanzó una promoción en el Interior del país en procura de dar una mayor variedad a la demanda turística. Actualmente [1990], el turismo del interior del país se ha ido afirmando y sirve de colchón amortiguador a las bruscas oscilaciones argentinas.

La pista del autódromo, año 1952, al pie del Cerro San Antonio. En el ángulo superior izquierdo se ve el camino de acceso al cerro, inaugurado ese mismo año.

Muerto Piria y debiendo el Estado asumir las funciones que realizaba aquél –no solo en cuanto a suministro y mantenimiento de servicios[153] sino también en áreas fundamentales para la actividad turística como la promoción para el desarrollo de la misma–, la imagen que utiliza Leonardo Blois, Presidente del Centro de Inmobiliarias de Piriápolis, cuando dice que el *"lomo de la ballena* [por Punta Ballena] *impidió que las Intendencias miraran por este lado"*, indica con claridad que *"los políticos no le dieron importancia a la zona porque a la hora de votar son muy pocas las credenciales cívicas de los que aquí vivimos"*.

Ante esta actitud desaprensiva de las autoridades y sin el peleador martillero que gritara por sus derechos, la colectividad cerró filas en torno a la Asociación de Fomento y Turismo, una organización privada de libre acceso, que ofició y oficia como nexo entre la población y las autoridades. Decía Invernizzi que del examen de sus actas surge el esfuerzo de la población por lograr obras sanitarias, el afirmado de las calles, la luz, etc.

Aquella máxima de Piria a los jóvenes –"enamórate de lo que haces"– es aplicable para quienes pretenden comandar la Asociación. Se precisa mucho amor a la camiseta para gastar horas y horas de vida en una actividad que no da nada de dinero y muchos sinsabores. Neo Sacalidis fue uno de los presidentes más recordados; después, el incansable Vartívar Alabachian, un armenio que comenzara sus pasos en el Paso de la Arena con un mínimo almacén y luego se sentara hasta veinte horas por día en un taxímetro, vino a Piriápolis a descansar y a recuperar la salud y terminó poniéndose al hombro la Asociación y siendo paño de lágrimas de todo el mundo que tiene un problema.

La extracción social de Alabachian es común a una gran mayoría de los comerciantes de la zona: la base de los comienzos fueron ahorros de los salarios con los que un día se adquirió un pequeño comercio unipersonal. El resto, la suerte y el esfuerzo de cada uno, junto a la aleatoria circunstancia de una buena temporada.

"La solidaridad de la gente se puso a prueba con éxito", dice Edda Barbosa de Loinaz cuando *"se arremetió por el liceo popular"*, una quijotada en la que hubo que improvisar profesores, pedirle plata a los comerciantes, hacer beneficios, llorarle a las autoridades... *"Cuando no había plata para el alquiler se pedía a los comerciantes que se hicieran cargo de una mensualidad cada uno. Una época linda. Una época de lucha"*.

Mientras era incierta aún la definición de la Segunda Guerra Mundial y también la guerra de los expedientes por la Sucesión de Piria, la obra cumbre del martillero cae bajo el martillazo del 25 de enero de 1942 por el cual el Estado, para cobrarse impuestos de herencia y otros varios, remata para sí en la suma de $ 1:442.000 los valiosos terrenos donde están construidos el **Argentino Hotel**, el Hotel Piriápolis y el Pabellón de las Rosas. El 23 de diciembre de 1958 se encomendaría a la Dirección General de Turismo la explotación del **Argentino**.

Recién a partir de 1946 se constituye la Sociedad Anónima de los herederos de Piria y el Balneario intentará colocarse en el nivel que tuvo en 1930.

En el mismo mes de marzo de 1952 en el cual el equipo uruguayo de fútbol triunfaba 3 a 1 sobre México con casi la misma conformación mundialista del 50 –únicos ingresos nuevos: Uribe Durán y Julio César Abadie– la triunfal temporada turística se agitaba en el balneario con el "Primer Gran Premio (automovilístico) Internacional de Piriápolis". También el balneario fue noticia ese año por un festival deportivo organizado para recaudar fondos para la Olimpíada de Helsinki[154] y por la *"inminente construcción"* –que todavía espera– *de un «cable-carril» que conduciría a la cumbre del Cerro Pan de Azúcar".*

"Corriendo brillantemente"[155] triunfó Fangio en la oportunidad, debiendo abandonar Froilán González, Marimón y Cantoni, y ubicándose detrás del argentino el brasilero Landi, Manzón, Menditegui, etc., y en el lugar Nº 11 el lugareño A. Fontes; al otro día de la carrera, el "hombre-récord" argentino tuvo *"palabras de elogio"* para el circuito. Hace más de diez años opinaba Pedro Passadore que podía recuperarse la pista –para actividades motoriles de otra calidad, obviamente– mediante una inversión de... 10 millones de dólares. Mientras tanto, es un lugar recomendable para juntar algunas carquejas para el mate y soñar con el esplendor perdido.

De los otros esplendores –están muy vivos aún los recuerdos del "Festival de Costa a Costa" y de la "Reina de la Juventud", este último ya puesto en marcha nuevamente por la actual Comisión de Fomento y Turismo –rescatamos de la historia las "Jornadas Iberoamericanas de Poesía".

Muy anciano –y ciego desde hacía años– el burgalés Castor Castro agradeció hasta su último día de vida la felicidad de respirar el aire de Piriápolis. Aire que llenaba con el sonido de su pandereta y de su cascada voz ("anda, Tere, anda y tráeme la pandereta" –le decía a su hija Teresa– "que he de cantarles a estos amigos unas coplas...") viniera o no la ocasión a cuento. Estas ocasiones las tuvo a diario cuando en su bar "San Sebastián" Paco Espínola, Ibáñez, María Elena Walsh, Sabat Ercasty, Manuel de Castro, Viglietti y tantos otros poetas y literatos uruguayos, latinoamericanos y españoles en la década que va desde 1956 a 1966, y *"entre Carnaval y Turismo"* –como relata Teresa Castro– *"luego de realizarse la actividad oficial, juntaban las mesas del bar"* y en torno a las panzonas jarras de aquel vino que no era para estar *"encerrado en la botella o el tonel* [ya que] *feliz quien bebe vino o el vino lo bebe a él"* –tal unos versos que en homenaje a Castor Castro dejara escrito vaya a saber uno cuál de aquellos poetas –la bullanga de canciones y versos improvisados llenaban el recinto; *"los bandoneones del «Paco» y de Pepe Mondelo"* –continúa Teresa– *"completaban las veladas que a veces terminaban en bailongos y a las cuales concurrían desde los diarieros hasta los más pintiparados intelectuales".*

FINAL

Desde aquel sueño (realizado) de Piria de crear en el Uruguay un polo turístico que secundara los emprendimientos agronómicos e industriales, a los cien años se modificaron las prioridades: como dice Enrique Iglesias, hoy el turismo es la "primera industria del Uruguay" para el cual tiene un "capital humano acumulado"; además de lo invertido en la construcción que significa un "activo neto"; y esa "primera industria" atiende a la "actividad de más alta demanda en el mundo". El despegue de España basado en esa actividad debe ser el máximo ejemplo europeo; en América, la Nicaragua sandinista que blandió el fusil en la sierra con una mano enfrentando a la "contra", mientras en la otra empuñaba una cuchara de albañil para levantar en la costa hoteles turísticos, es una de las imágenes más dramáticas y contundentes, aunque no es menos elocuente la de Castro recibiendo en Cuba con la mayor deferencia a sus enemigos norteamericanos.

Entretanto, para los dirigentes políticos uruguayos, la actividad sigue siendo "mala palabra": los turistas no poseen Credencial Cívica. Prueba de lo anterior es que si bien se creó, positivamente, un ministerio del ramo, no se lo dotó de recursos, y una ley de Turismo propicia para regular la actividad naufragó durante sucesivas legislaturas*.

Los asalariados del sector –a los cuales la dictadura les quitó una ley que permitía acumular con alguna ventaja las temporadas a los efectos jubilatorios– esperaron que con los "100 años de Piriápolis" se construyesen "100 viviendas" para superar uno de los mayores inconvenientes del trabajo turístico: si el turismo es una industria de "servicios", quienes lo "sirven" deben tener –al menos– donde vivir, ya que los valores inmobiliarios son superiores a los del resto del país.

(*) Mientras no se encare al turismo como una "industria de exportación", no se superará la pueril y tonta resistencia hacia el mismo. El quilo de carne se pone en el barco a un precio de U$S 1,00 o se puede servir en un restaurante uruguayo en forma de churrasco por U$S 5,00. Mientras aquel dólar va a parar solamente al dueño del novillo, estos U$S 5,00 se reparten entre mucha gente. Con nuestra incomprensión de la industria turística, rechazamos al adinerado "bacán" que se sienta en el restaurante, olvidándonos que el churrasco que viajó en el barco va a parar a otro privilegiado estómago, solo que nos tapamos los ojos para no verlo.

Si ya hoy no viene el público a Piriápolis a bailar con orquestas de la talla de las de Xavier Cugat, D'Arienzo y Canaro, en cambio acude a un **Argentino Hotel** que rescató la piriana idea de la hidroterapia (luego de quitar cielorrasos de cañas tacuaras y re-descubrir los suntuosos mármoles de las columnas tapados por ladrillos de campo, tal la decoración "rústica" de criminales concesionarios anteriores), y acude también a la Reserva de Fauna que Tabaré González inventó en la falda del cerro, en donde estaban los Talleres de Piria.

Echando una mirada hacia atrás es desoladoramente impresionante lo que falta: el trencito con sus múltiples vías, los vapores desembarcando el turismo bonaerense, el hipódromo, la cancha del golf, los doscientos caballos de alquiler para recorrrer los veintinueve paseos, las fuentes de aguas salutíferas y los inmensos bosques. Sin embargo, los anteriores ejemplos citados del nuevo **Argentino** y la Reserva, permiten suponer que un renacer a los 100 años de edad no es imposible.

La ampliación (véase Apéndice) del Puerto, puede ser el punto de partida; y, tal vez, encarar la reconstrucción con el ánimo que se desprende de otra de las máximas favoritas del inquieto rematador: "nada es imposible".

Rambla de los Ingleses a fines de la década del 20, vista desde el puerto. A la derecha, el actual Hotel Colón, entonces chalet Anchorena.

♦ 1902 ♦

Grandes remates á plazo "**LA INDUSTRIAL**"
que vá á efectuar...

PARA EMPEZAR EL AÑO

EN ENERO

NUEVA SECCION DEL BARRIO SAN MARTIN, 55 solares.
ENSANCHE DEL .. BARRIO ITALIANO, 375 solares y 3 casas.

EN FEBRERO

BARRIO MIRAMAR, 325 solares y 6 casas.
ATAHUALPA, 96 solares.

EN MARZO

ENSANCHE DEL .. BARRIO ITUZAINGO, 29 solares.
NUEVA SECCION DEL BARRIO "LA COMERCIAL", 147 solares y 1 casa.
NUEVA SECCION DE LA ESTANZUELA, 131 solares.

EN ABRIL

EL ACONTECIMIENTO DEL SIGLO

LA GRAN QUINTA DE PIÑEIRUA

DIVIDIDA EN 400 LOTES

Un gran palacio que costó $ 120.000

OTRO EDIFICIO MÁS

GRANDES QUINTAS CON FONDOS AL MIGUELETE.
ESPLÉNDIDO MONTE FLORESTAL Y FRUTAL. ...

✲ **A PLAZO TODO** ✲

Y para finalizar, 4307 lotes en la Aguada, Cordon, Reducto, Pocitos, Aldea y Tres Cruces.

Dorso de una tarjeta con propaganda de "La Industrial". *Al otro lado hay un dibujo muy burdo de Piriápolis, con estas leyendas:*
"Prevéngase de los vinos, que reparten otros bajo nuestro nombre, pues son falsificados". "Tome Ud. los vinos pura uva de Piriápolis".
"Única bodega, 18 de Julio, num. 71.
DESDE EL BALNEARIO DE PIRIÁPOLIS —SALVE— 1902"

Apéndice 2003

PIRIA ESCRITOR

A través de diarios, libros y folletos, bajo su firma o bajo el seudónimo de Henry Patrick, el revolucionario norteamericano, se puede decir sin exageración que Francisco Piria se pasó la vida entera haciendo conocer su pensamiento a sus contemporáneos. Dicho sea a la pasada, parece muy poco serio que supuestos "investigadores" de la vida y obra del inquieto rematador se salteen su lectura.

Un capítulo aparte merecería *"El socialismo triunfante"*, que, más allá del análisis de sus valores intrínsecos, literarios y/o filosóficos, se ha constituido en el único aporte uruguayo del siglo XIX al socialismo utópico.

Felizmente, un argentino, el ingeniero Rolando Galli, lo ha editado textualmente y está en librerías a disposición del público lector. En su momento nosotros habíamos encarado la empresa con la colaboración del escritor uruguayo Nelson Guerra y del argentino Carlos Bensoain con el objetivo de resumir el extenso texto, pero ni así encontramos interés en las editoriales uruguayas.

Reiterando nuevamente la salvedad de que "Reisebilder" parece haber sido dictado por Piria a su autor, el periodista Héctor Vollo, las otras publicaciones de Piria fueron:

–*Impresiones de un viajero en el país de los llorones*, 1879 [H. Patrick].
–*La familia del coronel*, Montevideo, 1881, por orden de "La Industrial".
–*Mr. Henry Patrick en busca del pueblo oriental*, Montevideo, Rius y Becchi, 1882 [H. Patrick].
–*Dos palabras al pueblo trabajador, honrado, económico y progresista sobre quien descansa el porvenir de la Patria*, Montevideo, Imprenta y encuadernación de Rius y Becchi, 1884.
–*Un pueblo que ríe*, Montevideo, "La Industrial", 1886 [H. Patrick].
–*El Socialismo Triunfante*, Montevideo, Dornaleche y Reyes 1898.
–*Misterio*, Montevideo, Barreiro y Ramos, 1902.
–*Única manera de hacer fortuna*, Montevideo, Dornaleche y Reyes, 1906.

Misterio

Debajo de este sugerente título que domina la tapa de la publicación se puede leer con letra mas chica: *"Cien mil onzas de oro –o sea un millón quinientos treinta y seis mil pesos –enterrados en la antigua quinta de Cibils– en La Aldea"*. (La firma de Piria se establece en la última página; en la parte inferior de la tapa se lee: *Imprenta y Encuadernación de A. Barreiro y Ramos. 1902).*

De pique el autor arranca la novela ubicando la escena en las festividades que se realizaron en la Iglesia Matriz de Montevideo (la "*aldea*") en 1815 "*cuando Otorguéz en este año hizo su entrada*", ocasión que motivara un "*Te-Déum en acción de gracias al Todopoderoso por la entrada de los orientales subordinados a Artigas*".

Y luego de algunas digresiones sobre "*el pastizal inmenso que cubría esta plaza*", "*las morenas vendedoras de pasteles*" y las diferentes monedas de metal que circulaban entre los vendedores ambulantes y el público, el propio escritor se llama a callar y dice: "[...] *dejémonos de inútiles disgresiones y vamos ligero, pues urge saber el porqué de este folleto interesantísimo y que indudablemente ha de llamar la atención del pueblo, dada las importancia trascendental del secreto que vamos a revelar* [...]"

Con el "*tout Montevideo*" congregado en el Cabildo y en la Iglesia Matriz, el autor presenta al villano de la novela, que resultó ser Fernando Otorgués (Otorguéz en el libro): "*Cedo la pluma a un célebre historiador para pintar en cuatro pinceladas el tipo de personaje siniestro que tan importante rol va a desempeñar en el curso de esta narración: «Era este hombre una especie de bestia feroz. Su tez blanca y su cabello rubio acusaban como su apellido un origen exótico* [...] *no tardó en señalarse por su valor y su fría crueldad, adquiriendo ascendiente sobre las masas, y era respetado hasta por el mismo Artigas a quien aspiraba a suplantar* [...] *Rodeábale siempre una banda de sicarios, y era para él crimen digno de muerte ser español, porteño o portugués. Durante la guerra de 1814 a 1815 con los porteños, había hecho castrar una partida de argentinos que tomó prisionera, en venganza de que el jefe enemigo le hubiere quitado una querida. En los bailes a que concurría, hacía apagar las luces con sus seides para apoderarse, como de una presa, de la mujer que había despertado su brutal concupiscencia. Mientras fue gobernador de Montevideo en 1815, tenía dos satélites que representaban en la calle su voluntad. Uno de ellos, el mulato Gay, era el que, haciendo poner a los españoles en cuatro patas, los montaba con espuela y rebenque y se paseaba de este modo sobre ellos por las calles».*"

No obstante esa turbia fama de Fernando Otorgués, "*fueron extraordinarias las demostraciones de regocijo que se hicieron para recibirle* [...] *porque vendría a remediar los males que tuvo que soportar la capital durante la dominación de Soler*", un porteño de destacada "*inmoralidad y marcada afición al juego*".

Casi inmediatamente son presentados el caballero y la bella dama cuando penetra la comitiva en la Iglesia, completándose la tríada dramática: "[...]*el señor don Mateo Bernárdez de Mendoza, quien llegaba en ese mismo instante en compañía del señor don Miguel de la Pena y su bella hija Petronila, prometida esposa del señor de Mendoza".* [...] *Era don Mateo Bernárdez de Mendoza rico hombre, hijo de noble estirpe, español, ajeno a la política* [y vivía] *en su magnífica chacra que poseía en la Aldea".* Tal personaje en el curso de un viaje había quedado *"de paso por estas playas envuelto en las redes amorosas de la joven más hermosa y hechicera que se conoció en aquellos tiempos en todo el Río de la Plata* [...] *cantada por todos los poetas de aquella época".* Mientras De Mendoza era un *"elegante joven de 27 años, de estatura más bien alta, tez morena, usaba barba entera pero corta con largos bigotes, mirada altiva y simpática, porte distinguido, modales delicados, ameno y atrayente en la conversación* [...]*",* Petronila, que vestía *"un rico traje de terciopelo negro con sobrepollera primorosamente bordada en oro",* parece que tenía *"*[...]*tez blanca como la nieve, coronadas sus mejillas de un ligero carmín; con unos labios de coral* [...] *nariz griega, cejas negras, grandes ojos velados por grandes pestañas."*

Por supuesto que el padre de Petronila, el señor De la Pena, no estaba apenado para nada por estas relaciones y antes bien *"no cabía en sí de contento".*

Sintetizados, pues, con unos pocos trazos, el villano, el caballero y la bella dama, el tema central de la novela se presiente ya al saludar los antes nombrados a Fernando Otorgués ingresando a la Iglesia cuando *"la vista lujurienta de Fernando encontróse súbitamente con la de la bella criolla*[...]*".* Casi a continuación, *"concluida la función"* Fernando *"llamó al mulato Gay y le dijo en voz baja",* señalando a la bella Petronila: *"necesito saber quién es, quiénes son los que la acompañan y en dónde vive la dama aquella de vestido de terciopelo y ojos negros".* Luego de enterarnos que *"esa noche tendría lugar el gran baile en el fuerte de Gobierno"* vemos a De Mendoza *"inquieto pues no había pasado desapercibido el interés que su prometida había despertado en Fernando. Y empezó a temer por su suerte, sabiéndolo hombre capaz de todo."* Le manifestó *"sus temores a su futuro padre político* [...] *y convinieron en asistir a la función",* igualmente, para no ofender al temible Gobernador.

Con respecto a éste, *"*[...] *la lujuria habíase apoderado de él; estaba frenético, creía amar y tal vez amaba a la bella criolla, pero ante todo lo que él quería era poseerla y que fuese suya. Habría dado la gobernación y hasta la vida por tenerla en su poder y satisfacer sus brutales deseos".* Para ello *"*[...]*entregábase su imaginación a formar planes los más perversos y atrevidos* [...]*"* para los cuales *"*[...] *no había más que un estorbo: era De Mendoza"* y *"*[...]*su instinto le hacía adivinar en él a un rival; rival afortunado, rival que había que vencer, aniquilar* [...]*"*

Luego de explayarse Piria durante un par de páginas en contra de las sangrientas corridas de toros, con una de las cuales Montevideo homenajeaba esa tarde al nuevo gobernador (vaya a saber uno si una investigación sobre el tema aclararía si fue verdad histórica o no el hecho novelado), dice el relato que Gay se le presenta a Otorgués para informarle que ya había arreglado el asesinato de su rival De Mendoza: *"–¿Tenemos ya quién dará el golpe? –Sí, señor, dijo Gay. –Y ¿quién es? –El negro Raimundo Pérez, quien tiene acceso a la casa de Mendoza, pues un hijo suyo forma parte de los ochenta esclavos que el godo posee en su quinta del Miguelete*

–¿Luego, él dará el golpe?

–Sí, esta noche, como vuestra mercé me lo ha ordenao.

–Por ese lado tenemos un nudo hecho, exclamó el gobernador viendo ya eliminado a su soñado y afortunado rival. Ahora, repuso, en cuanto a la hija del viejo De la Pena, ¿qué has hecho?

–Señor [...]esta noche cuando el baile termine y se retiren todos, yo y Castillo llevaremos a feliz término la empresa que vuestra mercé se ha dignado confiarnos.

–Entonces esta noche será mía!", terminó Otorgués, para concluir el diálogo prometiéndole un premio a Gay: "*[...]si salimos bien en la empresa, mañana serás capitán!*"

A continuación se nos presenta en un par de páginas *"El Fuerte"* donde se realizaría la fiesta nocturna, "*[...]casa de Gobierno que ocupaba la manzana que hoy es conocida por Plaza Zabala*" y el arribo de la concurrencia, "*las damas cubiertas de ricos trajes de terciopelo, raso del más fino, sobrepolleras de punto de Inglaterra [...]*" a las cuales "*[...] el sexo barbudo no le iba en zaga. Era de ver aquellos fracs de severo y elegante corte, los calzones cortos, las ricas medias de seda, los zapatos de raso negro [...] las estiradas camisas de pechera y puños con volados [...]*". Por supuesto que se destacaba Petronila "*[...] que descollaba en primera fila [y] estaba encantadora*", acompañada por su padre De la Pena, pues su prometido "*[...] Mendoza no los acompañaba*".

"*Eran las dos de la tarde de ese mismo día cuando el negro Raimundo Pérez*" a horcajadas de "*un matungo*" se dirigía a la chacra de De Mendoza aunque "*estaba algo taciturno pues le remordía ya la conciencia por la misión infame que le había sido encomendada. Hizo llamar a su hijo Benito [...] esclavo del señor De Mendoza, y llevándolo a un sitio apartado, le comunicó el plan que había urdido Gay, plan que consistía en asesinar al señor de Mendoza esa misma noche.*" Pero el tiro le salió por la culata pues Benito (que le era extremadamente fiel a De Mendoza de quien recibía un buen trato) "*[...]rehusó indignado la participación [en] el hecho infame que se urdía y hasta reprochó virilmente a su padre la complicidad [...]*". Éste, que había aceptado el encargo obligado "*[...]pidióle que por lo menos guardara silencio y no revelara a nadie el secreto plan*".

Luego nos encontramos que son las seis de la tarde y está llegando el caballero De Mendoza a su propiedad: y aquí el escritor se explaya en la descripción de las "*veinte cuadras de rico monte*" que la componían, monte formado por "*arboledas de toda clase, de las mejores calidades*", amplia y rica descripción que al final se verá que no se incluye por mera casualidad. Lo cierto es que De Mendoza va arribando a la quinta ya con la sospecha de "*[...]lo difícil de su posición y el riesgo que corría su prometida*". Sospechas que al punto quedarían corroboradas cuando el fiel Benito *"con los ojos anegados en lágrimas se echó a sus pies"* y al cabo *"el negro contó a su amo lo que Raimundo le había comunicado"*. La escena se cierra con el rostro del caballero *"lívido de ira"* y dispuesto ya a *"prepararse"* para escapar de la difícil y dramática situación.

A las *"seis y media de la tarde"* Raimundo le da cuenta a Gay de *"la negativa de su hijo de prestarse a secundar sus planes y obedecer sus órdenes"*. A Gay se le escapa una exclamación: *"Ya le arreglaremos la cuenta mañana a Benito"*, ante lo cual *"[...]Raimundo tembló de pies a cabeza"* y *"resolvióse a callar y esperar el momento oportuno para salvarlo"*.

Mientras esto acontecía en *"la aldea"*, en la quinta De Mendoza *"[...]abrazó al fiel negro y llevólo a su aposento (y) una vez allí llamó a los hermanos José y Federico ambos morenos esclavos a quienes De Mendoza había criado y que le eran fieles como perros, impúsoles de cuanto le acaecía y de lo que se proponía hacer para salvarse [...]"*

A continuación se lo vuelve a dejar a De Mendoza con sus preparativos, bien secundados por sus tres fieles negros esclavos, y la narración retorna a Gay. Este había enviado una *"[...]patrulla de sus cachorros –como él les decía a los asesinos que le rodeaban– acompañados del negro Raimundo, para que se apostaran en unos inmensos barrancos que había en ese tiempo en el sitio donde es hoy calle Florida esquina Mercedes"*. La orden era terminante: *"agarrar al godo [De Mendoza], taparle la boca y encerrarlo en un calabozo, y [matarlo] si se resistía"*. Al parecer estos asesinos estaban enterados también de que *"detrás del godo despachado, quedaban las cien mil onzas"* de oro que este poseía y pasarían a manos de Otorgués conjuntamente con la bella dama; y ante tal hazaña por supuesto que esperaban una recompensa del gobernador *"con dones y riquezas"*. *"El único que iba con otro fin bien distinto era el padre de Benito [que] [...]se proponía salvar a su pobre hijo[...]"* de las iras de Gay.

Cuando la escena se traslada a los salones donde Otorgués, luego de cenar en solitario, *"se lamía y relamía esperando la media noche para dar su golpe certero"*, ya el lector va sumando el dinero como un móvil que se agrega al de la pasión amorosa, aunque todavía muy en las tinieblas. Aquí el escritor gasta unas buenas dos páginas ridiculizando al rústico gobernador que al parecer ostentaba una *"melena colorada"*, *"impropiamente llamada cabellera"* que el peluquero removía como un *"pajonal"* y a la cual su dueño mandó que *"le echaran bastante pomada y esencia"* para luego pegar *"un brinco"* y *"darse una nueva ojeada en el espejo de cuerpo entero"*. Después de una también ardua lucha con la vestimenta, *"de un salto abrió la puerta de comunicación con el salón de baile y como caído del infierno se apareció en el centro de la sala. Una especie de terror se apoderó de todos los concurrentes."* En el correr de la tarde, *"en un pueblo como era entonces Montevideo [donde los] chismes se barajaban al vuelo [...] todo se comentaba en el salón"* (el interés de Otorgués por Petronila y la ida de Raimundo a la quinta mandado por Gay).

En esos momentos, en dicha quinta De Mendoza *"empezó por ordenar a los capataces que encerraran en sus tarimas a la negrada y se fueran ellos a acostar, quedando él solo con sus tres fieles, es decir Benito y los hermanos José y Federico. Acto continuo empezó la operación de seguridad. Tomó el plano de la quinta, marcó distancias, designó veinte puntos y empezó a hacer practicar por los tres negros veinte agujeros de un metro y medio de profundidad. Tocó en seguida un pequeño botón* [...] [y abriéndose un portillo en la pared apareció] [...]*el tesoro de las cien mil onzas* [de oro], *colocado en* [20] *bolsas de a cinco mil onzas cada una. Llevaron con mucha cautela, los tres fieles, cada bolsa a uno de los agujeros que habían abierto en el terreno y en seguida los volvieron a tapar. Concluida la operación del enterramiento de esa inmensa fortuna, volvieron a casa; entrególes De Mendoza doscientas onzas a cada uno, cerró el secreto, dióles buenas pistolas de chispa de sistema Monte Cristo y una buena daga a cada uno; armóse a su vez y prontos se pusieron en marcha."*

Al trote iba la marcha, a la once de la noche con una luna que arriba *"resplandecía en el sereno cielo en medio de brillantes estrellas"* en el mayor silencio, apenas turbado con el ladrido de *"algún perro de cuando en cuando"*. Próximos ya a la *"calle del Portón"*, cercana a la Ciudadela, *"una voz salida de los barrancos los contuvo al grito de ¡Hagan alto!"*. Era Gay *"quien a última hora había resuelto unirse a sus cachorros"*. [...] *"A la voz de «hagan alto» detúvose De Mendoza y sus tres fieles. El mulato deslizóse avanzando a la cabeza de su comitiva.*

–¿Qué quieren y quiénes son ustedes para mandarme hacer alto? preguntó Mendoza con la reprimida impaciencia.

–Somos gente del gobernador, respondió el cínico, avanzando siempre.

–A estas horas no se detiene a los vecinos pacíficos que van por su camino sin molestar a nadie, exclamó el De Mendoza con mal talante. Gay seguía avanzando.

Estaría como a unos veinte pasos el mulato y sus cachorros que lo seguían, cuando Mendoza lo reconoció.

–Deténganse ustedes y no avancen ni un paso más, gritoles con toda entereza, pues de no hacerlo levantaré la tapa de los sesos al primero que avance.

No había acabado de proferir estas últimas palabras, cuando Gay [...] *por toda contestación descerrajóle casi a quemarropa un trabucazo, abalanzándose sobre él puñal en mano.*

Felizmente sólo un cortado de los muchos con que estaba cargada el arma alcanzó a herirle levemente en el brazo izquierdo. No repuesto aún de la fiera y traidora embestida, vió ante sus ojos resplandecer a la luz de la luna la lustrosa hoja de la daga del mulato, próxima a caer sobre su cabeza.

Pero, si rápido fue el ataque [...] *no fue menos veloz la acción de* [...] *el negro Raimundo Pérez quien de un salto y con la rapidez del pensamiento, cuando ya la daga mortal iba a caer sobre la cabeza de Mendoza, hízola saltar de la mano del mulato gracias a un hachazo dado con certeza en la muñeca* [...]

La caída de Gay infundió el pánico en sus tres acompañantes, quienes abandonaron el campo, huyendo precipitadamente [...]" Mendoza con su gente *"[...]dirigióse precipitadamente a la barra de Santa Lucía en donde esa misma noche [...] embarcóse en una lancha [...] llegando [...] al día siguiente sano y salvo a Buenos Aires."*

Eran las once y media de la noche cuando llegó al Fuerte uno de los acompañantes de Gay llevando la noticia de que el De Mendoza acababa de ser muerto en las afueras del Portón de la calle de San Pedro. A nadie se le ocurrió pensar que no fuera Otorguéz el autor del crimen. *"El pánico fue general e inmediatamente [...]"* todos huían aterrorizados.

El señor De la Pena al ir en busca del abrigo de su hija fue detenido por un secuaz del gobernador quien daga en ristre *"lo acompañó hasta una puertita que daba a la calle [...] y de un empujón lo echó afuera y cerró la puerta".*

La huida era general, ya no quedaba casi nadie en el salón. La pobre joven, ignorante de todo lo que sucedía, esperaba en vano la vuelta del anciano padre.

Al rato, en vez del padre, presentóse sobre el umbral de la puerta el fiero Otorguéz! *Había llegado el momento [...] en mangas de camisa, el cuello desabotonado [...] los ojos lascivos le saltaban de las órbitas, rojos de concupiscencia [...] creyéndose dueño absoluto y llegado el momento para él tan deseado [...] se abalanzó [...] sobre la indefensa presa.*

Apenas tuvo tiempo para huir despavorida la infeliz criatura [...] lanzando en su huida un grito de terror y espanto. Como se ha dicho, frente al gran salón estaba la capilla del gobernador [que contenía una estatua de la Virgen de los Dolores] *de tamaño natural, colocada sobre la escalinata alta del altar, como a tres metros de elevación del suelo. La puerta estaba abierta y en su huída quiso la Providencia que Petronila acertara a entrar en la Capilla. Ciego, frenético y rabioso entró en pos de ella el infame y abalanzándose hacia la bella criolla al lado del mismo altar cuyas gradas habían subido.*

Dióse vuelta la virtuosa joven, y sacando fuerzas de la flaqueza de su sexo, extendió los brazos en acto de rechazo, apuntalando con ambas manos el pecho de Otorguéz. Este alzó los brazos e iba a abrazarla, cuando aquella retrocedió dando un fuerte golpe con la espalda en el altar de madera, el cual, mal asegurado, imprimió un fuerte movimiento a la virgen que estaba mal colocada, la que al balancearse se desplomó, cayendo sobre la cabeza del Gobernador, quien quedó tendido en el suelo y sin sentido.

Aprovechó la joven este milagro para huir. Un minuto después, Petronila estaba entre los brazos de su padre sana y salva.

Seis meses más tarde, De Mendoza murió en Buenos Aires asesinado; no se supo por quién pero a nadie le cupo la menor duda sobre el autor."

FIN DE LA PRIMERA PARTE

Y aquí, estimado lector, de *"Por los tiempos de Francisco Piria"*, si tuvieses como yo tengo a la vista el original de la novelita *"Misterio"* que acabo de resumir y glosar, te ganaría la extrañeza ya que estás en la penúltima página del libro, y en la última, a su costado, de un vistazo nomás te percatarías de que no contiene ninguna "segunda parte", y sí apenas media página firmada por Francisco Piria.

Por otro lado, de lo leído, si bien la buena fortuna de la protagonista, salvándose del ataque del villano por una milagrosa intervención, encaja perfectamente dentro de los valores *"ad usum"* para una literatura de este tipo, no sucede lo mismo con los otros dos aspectos centrales: por un lado, el infeliz destino que le cupo al galán De Mendoza y, por otro, la indefinición o falta de cierre con respecto a la fortuna escondida.

Pues veamos el cierre de Piria en esa última media página sin título:

"Dos palabras al lector: perdona si no es de tu agrado y confórmate. No tengo pretensiones de sentar plaza de literato.

Esto es gratis –nada te cuesta– y no olvides que al caballo regalado no se le mira el pelo; sobre todo, ten presente que este trabajo fue empezado esta mañana y concluido esta noche, a todo vapor, sin descanso y de un tirón.

Si eres previsor compra un solar el domingo en el Barrio Miramar, que está ubicado en el mismo terreno que ocupó la propiedad de Mateo Bernárdez De Mendoza a principios del siglo pasado y si tienes la suerte de dar con uno solo de los veinte depósitos, tu fortuna está hecha, y si no, habrás adquirido un terreno que abonarás en 60 meses de plazo, es decir pagando una miseria mensualmente [...] y lo mismo te resultará una fortuna."

Y por las dudas de que el lector hubiese resultado medio desconfiado, y tal vez por aquello de que la gran fama de "La Industrial" se basó en primerísimo lugar en la calidad de buenos de los títulos que manejaba, Piria remacha la cosa con una Postdata que reza:

Postdata. *Todos los documentos antiguos relativos al misterioso entierro de las cien mil onzas están en nuestro poder, debidamente certificados, los que ponemos a disposición de los que deseen verlos en nuestra oficina, 18 de Julio 67, en donde daremos gratuitamente planos de la propiedad a cuantos lo soliciten. Francisco Piria.*

CRIMEN Y SUICIDIO

Con respecto al crimen de Pancho Piria y el posterior suicidio de su matador, Carlos Bonavita, es de orden señalar, habida cuenta de los excelentes testigos de la época que tuvimos la fortuna de entrevistar para la primera edición, que en lo sustancial la información no puede desviarse demasiado de lo ya establecido con la superposición de los nuevos elementos que hoy manejamos.

Pero de cualquier manera, habiendo sido tan importantes esos sucesos para el desarrollo del Piriápolis después de Piria, conviene extendernos en algunas otras consideraciones luego de la lectura de los artículos publicados inmediatamente a los hechos, artículos de *"La Tribuna Popular"* que ha recogido el profesor Pablo Reborido.

Al otro día de la jornada luctuosa (los hechos se dieron el 21 de enero de 1934, a una distancia de un mes y once días de la muerte de Piria) y bajo el título de *"Una intensa tragedia se desarrolló en Piriápolis"*, luego de un preámbulo de dudoso gusto que habla de la alta temperatura y la *"pesadez extraordinaria"* que según el periodista en los últimos días habían alterado *"el sistema nervioso de mucha gente"* provocando así *"numerosos hechos de sangre registrados por la crónica policial"* – y es curioso que no mencione en este sentido que el crimen se dio en medio de un incendio– la nota señala que el *"hecho sensacional"* causó *"verdadera consternación por la calidad de elementos en juego en este drama"*.

La semblanza que se hace de Carlos Bonavita coincide exactamente con lo ya expresado por parte de sus contemporáneos piriapolenses que tuvimos la fortuna de entrevistar en su momento; el artículo destaca que merced al *"esfuerzo personal"* del *"viejo servidor "* de la familia Piria que *"acompañaba a don Francisco en sus actividades comerciales"* como administrador general de Piriápolis desde hacía 30 años, se debía *"el progreso de aquel balneario"*.

Con respecto a lo que nosotros expresamos haciéndonos eco de las declaraciones de don Tomás Sención en el sentido de que los herederos de Piria le negaron lo que éste le había prometido en vida, se extiende la nota del periódico diciendo que en el famoso cambio de testamento del creador de Piriápolis, efectuado para tener la seguridad de que Carmen, su amante, heredase una porción no menor a sus hijos legales, dejó *"sin efecto aquellas cláusulas"* del primer documento por las que Bonavita hubiese recibido un legado importante. Aunque no se tienen noticias de que alguien lo hubiese tenido a la vista, más adelante el doctor Luis Bonavita, hermano del autoeliminado Carlos, asegura que se trataba de un legado de $ 70.000, una suma realmente muy crecida para la época (en la primera edición establecimos una relación $1 de la época = U$S 20 de fines del siglo XX, que si bien muy aproximada y referida únicamente a algunos valores de la canasta familiar, ayuda a hacerse una idea de los mismos).

Pero el punto más destacado al detallar los motivos del enfrentamiento entre Carlos Bonavita y los hijo de Piria y que se sumaría al anterior, puede consistir en que *"el señor Bonavita estaba de parte de uno de los herederos del señor Piria, lo que motivó que a la muerte de éste, los hijos trataran de evitar que continuara esa influencia que ellos creían contraria a sus intereses"*. ¿Y cuál otro *"heredero"* podría ser éste sino la mismísima Carmen, protagonista de trece larguísimos años de pleitos con los Piria Rodine?

En cuanto a las circunstancias que rodearon aquella *"tragedia [que] se produjo sin testigos"* directos, bajo el título de *"Ecos de la tragedia en Piriápolis"*, en el número siguiente "*La Tribuna Popular*" imprime las declaraciones de Arturo Piria por un lado (el hijo de Piria que firmaba "Arpi" sus fotografías) y del doctor Luis Bonavita por otro.

Arturo no se extiende demasiado en referencias respecto a los motivos casuales de la tragedia; sólo dice que "*no se tomaban las disposiciones apremiantes para impedir su propagación*" (propagación de los incendios), reproche que le habría hecho Pancho a Bonavita y que todos los obreros presentes allí en Talleres habrían escuchado. Según Luis Bonavita, la discusión se planteó porque Pancho quería que se llamase a "*un batallón del ejército*" para apagar el incendio, en tanto que Carlos Bonavita "*quería llamar a 400 obreros despedidos y sin trabajo*" con el mismo fin.

En cuanto a quién sacó primero el revólver para agredir al otro, la versiones son diametralmente opuestas. Según Arturo Piria, "*estaban lado a lado, mi hermano a la izquierda. Bonavita sacó el revólver y sin cambiar de posición lo apuntó bajo, al vientre de Francisco. De manera que el proyectil perforó los intestinos de la víctima. Sin embargo, Francisco hizo ademán de repeler la agresión, llevando la diestra a su revólver, pero no tuvo tiempo de usarlo porque Bonavita al percatar ese movimiento obligado le disparó un segundo balazo, esta vez en pleno corazón, que determinó como se comprende la muerte instantánea del agredido.*"

La versión del hermano de Bonavita viene a ser igual pero al revés: "*Me interesa hacer constar que mi hermano ha procedido en defensa propia. En la mano derecha de Piria se halló el revólver del mismo. Se dice, sin comprobación oficial, que se encontraron dos cápsulas vacías del mismo. Es decir, hay presunción evidente de que mi hermano hizo fuego para repeler la agresión de Piria*".

Por último, con respecto al suicidio del legendario administrador de Piriápolis, si bien la versión de su hermano concuerda con lo expresado por Tomás Sención en los hechos básicos, no sucede lo mismo en cuanto al ánimo del suicida. Mientras que el relato de Sención presenta a un Bonavita por lo menos perturbado y emocionado cuando penetra en el hotel Piriápolis, que pide una copa y luego de decirle al cantinero "*maté a Pancho*" penetra en su habitación e inmediatamente se da muerte, al doctor Luis Bonavita le interesa marcar otra actitud: "*Y quiero que conste que el suicidio de Carlos no fue fruto de una ofuscación sino de un acto meditado y realizado con plena sangre fría y en pleno dominio de sus facultades. Llegó al hotel, pasó a su dormitorio, se quitó el saco, el chaleco, la corbata, el cuello, se tendió en su lecho y se disparó el tiro mortal. Tan terrible que se ha encontrado un pedazo de hueso en el suelo.*"

El interés de la familia Bonavita en presentar el suicidio de esta manera, alejando meras circunstancias casuales fruto de una acalorada discusión, contribuye a reforzar la injusticia cometida por los herederos de Piria al no recompensar a quien había dado todo de sí para el buen funcionamiento de aquella flamante ciudad creada a partir de la nada.

EL PRIMER HOTEL

Llamado luego por el propio Francisco Piria un *"hotel de morondanga"*, el primer hotel que conoció la ciudad de los cerros fue inaugurado a los doce años de haber comenzado las actividades el establecimiento, y tres años antes del primer hotel importante, el Hotel Piriápolis.

Efectivamente, el 29 de diciembre de 1902 aparece un anuncio en *"La Tribuna Popular"* que dice textualmente:

"BALNEARIO PIRIÁPOLIS. Desde el 15 del corriente mes queda abierto al servicio público este establecimiento. Los trenes de La Sierra en combinación con los vehículos que hacen el servicio hasta el Hotel, salen de la Estación Central los días martes, jueves y sábados a las 6:15 de la mañana.

El viaje de Montevideo a la playa de Piriápolis ida y vuelta, carruaje y tren, todo comprendido y con boleto válido por 40 días cuesta 5 pesos de segunda y 6 pesos de primera.

Estos boletos se venden en la estación del F.C. Central. La pensión en el hotel, casa y comida 15 reales diarios."

A pesar de que la comparación de precios entre un viaje a Montevideo y el costo de un día de hospedaje con comida hace aparecer como extremadamente caro el transporte, más adelante Piria, en un folleto titulado *"El triunfo de Piriápolis"* en el cual se queja amargamente de lo mal que lo trata la empresa ferroviaria, hace referencia a este período destacando como una ventaja aquellos boletos que se expedían en 1902 de ida y vuelta:

"Yo estoy gastando millones en Piriápolis sin recoger un centavo y haciéndole el caldo gordo al ferrocarril; la empresa no me ha hecho ninguna concesión en las tarifas y transporte de materiales, sino que suprimió los boletos de ida y vuelta que otorgaba hace 20 años, cuando había un hotel de morondanga."

Según los datos que ha proporcionado el señor Rubens ("Chopo") Rodríguez, el primer hotel estaba ubicado en lo que hoy son los jardines del Argentino Hotel.

LOS PRIMEROS QUINCE CHALETS DE ALQUILER

Para completar la información sobre aquellos comienzos de siglo en Piriápolis cabría agregar que el anuncio que comentamos en el apartado anterior terminaba promocionando como alternativa al hotel ciertos *"[...] 15 chalets especiales para alquilar a familias. Nadie venga sin avisar previamente para saber si hay o no local disponible. El Hotel Piriápolis tiene teléfono y telégrafo en combinación con el Telégrafo oriental. Por informes y datos, oficina 18 de Julio 67. Víctor Coirard administrador".*

Gracias a los datos aportados gentilmente por el Arq. Eduardo Montemuiño, y de acuerdo con documentos, fotografías y postales de la época (véase pp. 19, 36, 47, 65)

El primer hotel de Piriápolis, inaugurado en 1902, al que Piria se refería como "un hotel de morondanga"

El Hotel Select, aún en actividad, es uno de los primeros que hubo en Piriápolis. Fue construido por Piria en la década del diez y en sus primeros años se llamó Miramar

El Hotel Colón en su construcción original. Funciona como hotel desde 1939. Fue residencia de Arturo Piria, luego propiedad de la familia Anchorena. A la izquierda el chalé Villa Adelina, residencia de la viuda de Francisco Piria hijo.

que obran en su poder, se ha podido determinar fehacientemente la ubicación y características edilicias de estos chalets, cuyos proyectistas eran Reborati y Nussio, según puede verse en el libro *"La edificación moderna en Montevideo. 1914"*, publicado ese mismo año.

EL PABELLÓN DE LAS ROSAS

Muy poco se sabía a nivel de la población de Piriápolis sobre la rica historia del Pabellón de las Rosas en 1990, cuando comenzamos a trabajar para la primera edición de *"Por los tiempos de Francisco Piria"*; apenas se señalaban los dibujos hípicos sobre las columnas de hierro y un remoto y cuasi novelesco origen francés: *"se construyó en los talleres de Eiffel, el de la torre"*, tal declaraba la mayoría de los vecinos entrevistados.

No obstante, de la atenta lectura de *"La Tribuna Popular"* en los años 20, periódico del cual fue copropietario Francisco Piria, surge claramente y con lujo de detalles su origen que ratifica lo declarado únicamente en 1990 por el ahora fallecido don Tomás Sención; el profesor Pablo Reborido ha recopilado las principales notas que tienen que ver con el tema, en las cuales nos basamos para la confección del presente resumen.

El stud de Anaya

En el paraje conocido como "Lomas de Zamora", sobre la Avenida Simón Martínez entre el Paso Molino y la Barra de Santa Lucía, se encontraba la muy importante y ostentosa Cabaña Anaya extendida en más de cuarenta hectáreas de terreno. Adquirida por Piria para su fraccionamiento y venta, y en un momento estratégico dada la reciente inauguración del puente de Santiago Vázquez y la inminente llegada a la zona del *"tren eléctrico"* (tranvía) por la Avenida Simón Martínez, esta vez el rematador no dividió las tierras en solares sino en "solares quintas" (entre 2.200 y 2.600 metros cuadrados), quedando aparte el stud, que tiempo más adelante se trasladaría a Piriápolis como Pabellón de las Rosas, y otras construcciones anexas ("palacete" y varios galpones). Con sus acostumbradas exageraciones e hinchazón verbal, Piria anunciaba en el diario el 2 de enero de 1926 el remate que se llevaría a cabo el día siguiente de la siguiente manera:

> LOS ÚLTIMOS CARTUCHOS
> LA MAS SOBERBIA PROPIEDAD
> EL MEJOR NÚCLEO DE ESPLÉNDIDOS LOTES CON ÁREAS
> ENTRE 2200 Y 2600 MTS
> 165 SOLARES QUINTITAS que quedan por liquidar a vil precio con la base de
> 25 CENTÉSIMOS EL METRO
> [...] HAY NECESIDAD DE VENDER
> y la necesidad tiene cara de hereje. Las obras de Piriápolis demandan ingentes sumas y para obtenerlas nos vemos obligados a liquidar todos los terrenos que "La Industrial" posee en las inmediaciones de la capital.
>
> A LAS SEIS Y MEDIA EL GRAN STUD Y CASAS ANEXAS
> *"Sin verla, nadie puede darse cuenta de lo que representa esta gran propiedad, en cuya construcción se han invertido mas de trescientos cincuenta mil pesos, que lo mismo puede ser una Colonia, que un gran Stud, que una fábrica colosal o una escuela, para alojar 300 niños con toda comodidad, o una gran bodega donde se puede elaborar todos los productos juntos, de los departamentos de la Capital y Canelones [¡sic!]. Puede instalarse también, una fábrica industrial, que procure trabajo a tres o cuatro mil obreros, un local Tattersal para exposición y venta de animales de todas clases o también un Stud señorial. Hay que verlo!*
>
> *El terreno en que está construido y su bosque respectivo, abarcan una extensión de 43.500 metros. Esta colosal propiedad se va a sacrificar con la base de ¡OCHO REALES EL METRO!*
> *Esto es increíble. Pero, no hay más remedio que sacrificarlo. Condiciones de pago: el 10% al contado y el resto se abonará en 60 mensualidades sin recargo de interés alguno."*

Es de imaginarse la sorpresa que se habrán llevado los bodegueros de Montevideo y Canelones que nunca soñaron que existiera en el Uruguay una construcción tan grande como para que en ella cupieran *"todos los productos"* vitivinícolas así sin más ni más; o el pasmo de los empresarios pensando cuál industria podría dar ocupación a tres o cuatro mil obreros. (Aquí habría que recordar nuevamente aquella frase del rematador después de los sucesos de Joaquín Suárez que contamos en otra parte: "*¡Un cero mas qué importa!*"). Pero lo cierto es que el 5 de enero, dos días después del remate, Piria compadreaba:

SOLICITADA

> EXITAZO
>
> De las 165 quintas cubiertas de soberbios bosques que forman parte de la Cabaña Anaya, anunciadas en remate para el domingo último 3 del corriente se vendieron 134 quedando sólo 31. No se continuó la venta porque nos agarró la noche. Lo que queda se vende al mostrador al vil precio.
> Por el colosal Stud y su parque así como por el palacio colonial no hubo interesado.
> Lo vendido alcanza a la cifra de $ 47.221.17

145

"LA INDUSTRIAL" SACRIFICARÁ

165 QUINTITAS

CON ARBOLEDA Y JARDINES

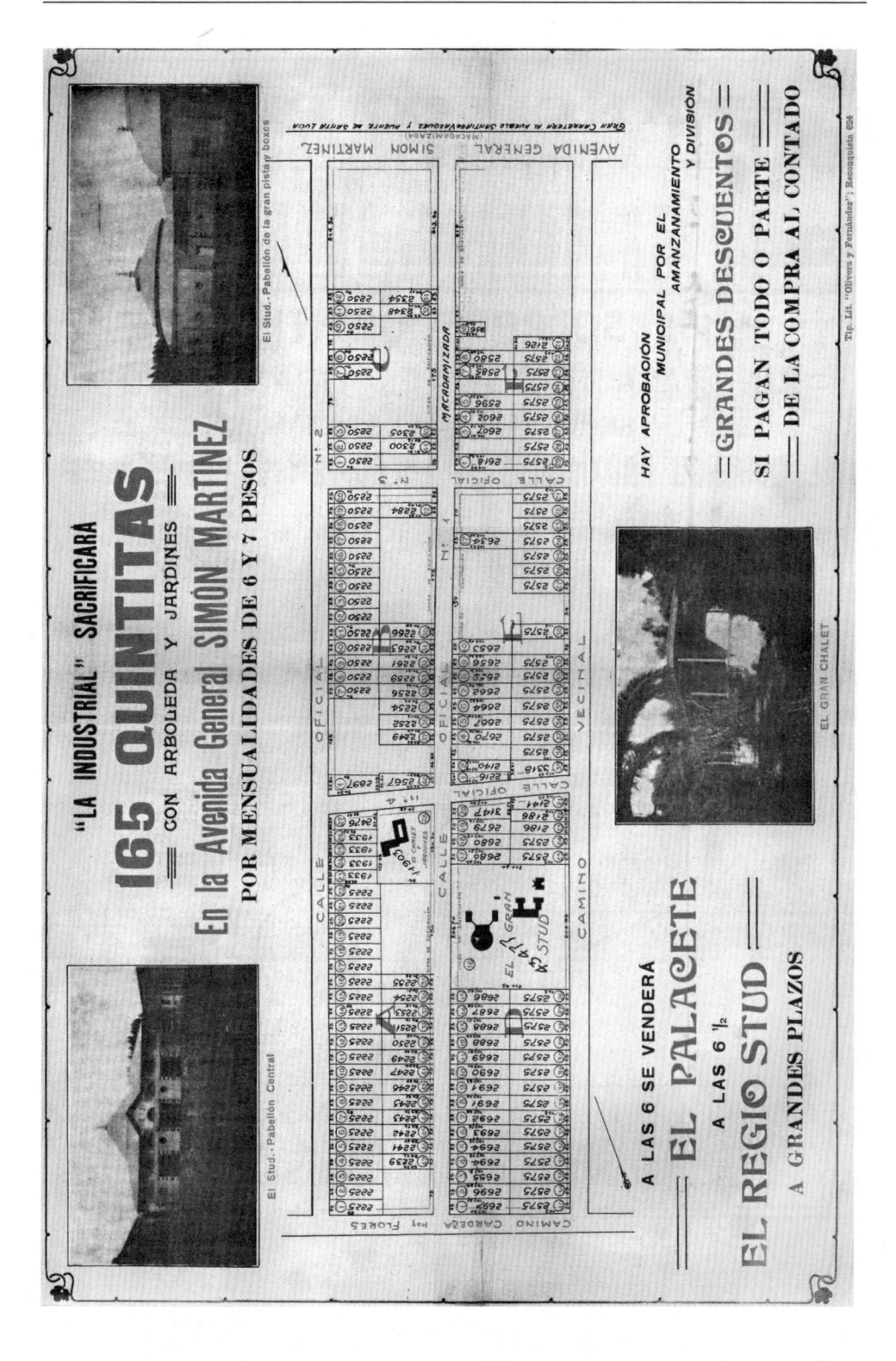

En la Avenida General SIMÓN MARTÍNEZ

POR MENSUALIDADES DE 6 Y 7 PESOS

A LAS 6 SE VENDERÁ

EL PALACETE

A LAS 6 ½

EL REGIO STUD

A GRANDES PLAZOS

HAY APROBACIÓN MUNICIPAL POR EL AMANZANAMIENTO Y DIVISIÓN

GRANDES DESCUENTOS

SI PAGAN TODO O PARTE DE LA COMPRA AL CONTADO

El Stud.- Pabellón Central

El Stud.- Pabellón de la gran pista y boxes

EL GRAN CHALET

Tip. Lit. "Olivera y Fernández"; Reconquista 624

FRANCISCO PIRIA
A GRANDES PLAZOS

LA EX CABAÑA DE ANAYA

165 SOLARES QUINTITAS
UN PALACETE -- EL GRAN STUD
SE VAN A MALBARATAR

EL DOMINGO PRÓXIMO, 3 DE ENERO, a las 4 de la tarde

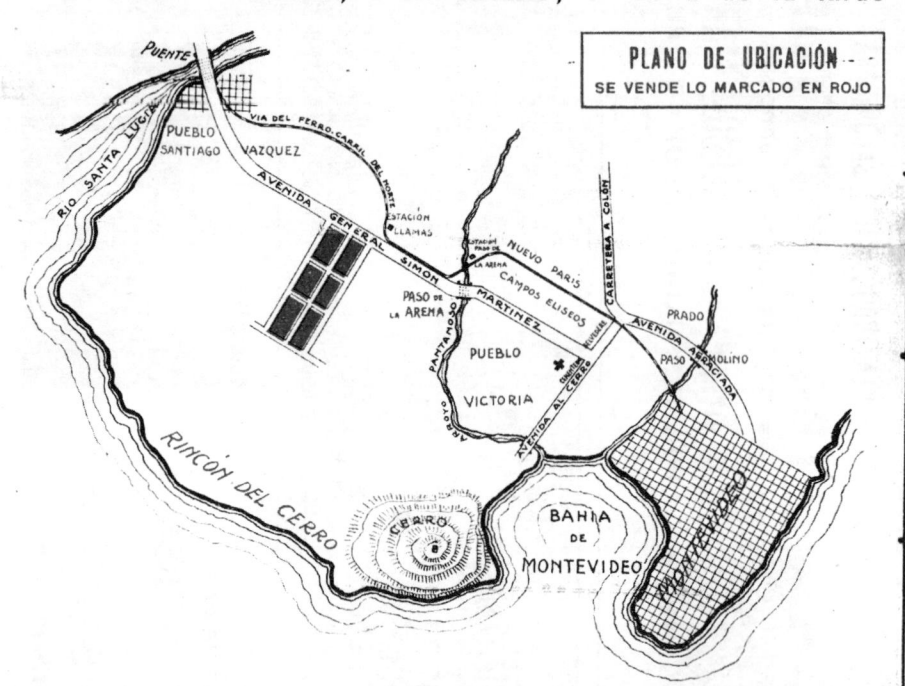

PLANO DE UBICACIÓN
SE VENDE LO MARCADO EN ROJO

FERRO CARRIL GRATIS - Que sale a la 2 y 40 de la Estación del Norte, calle Gral. Aguilar esquina Gral. Caraballo. - En el Arroyo Seco.

FRANCISCO PIRIA

LOS ÚLTIMOS CARTUCHOS.---LA MÁS SOBERBIA PROPIEDAD

EL MEJOR NÚCLEO DE ESPLÉNDIDOS LOTES. - CON ÁREAS ENTRE 2.200 Y 2.600 METROS

165 Solares Quintitas

que quedan por liquidar, pero para liquidar a vil precio, con la base de

25 CENTÉSIMOS EL METRO

casi todos cubiertos de espléndidos montes de eucaliptus, pinos y otras variedades de árboles colosales.—Mensualidades, míseras de

6 Y 7 PESOS

Nos dá vergüenza anunciarlos, pero forzosamente debemos liquidarlo todo a vil precio.—Se trata nada menos que de

LA EX-CABAÑA DE ANAYA

A las puertas de Montevideo.—A quince minutos de la plaza Matriz, sobre la

Avenida General Simón Martínez

espléndidamente macadamizada. Todo el mundo sabe que antes de seis meses **tendrá el tren eléctrico** a la puerta, pues «La Transatlántica» ha empezado los trabajos y por consecuencia es un hecho consumado que va impulsar el progreso galopante de esa localidad, transformando toda la región entre

EL PASO DEL MOLINO Y SANTIAGO VAZQUEZ

que yá, con la reciente inauguración del puente colosal, allí construido, recibió un notable impulso.
LA INDUSTRIAL, liquida todos sus terrenos, no importa el precio ni el plazo, pues,

HAY NECESIDAD DE VENDER

y la necesidad tiene cara de hereje. Las obras de Piriápolis demandan ingentes sumas y para obtenerlas, nos vemos obligados a liquidar todos los terrenos que LA INDUSTRIAL posée en las inmediaciones de la Capital.
El remate se efectuará

EL DOMINGO PRÓXIMO 3 DE ENERO, a las 4 en punto de la tarde

Los **165 SOLARES**, que vamos a malbaratar, están cubiertos de bosques valiosísimos y con seguridad que no los van a pagar a plazos, ni la mitad de lo que valen los árboles, al contado.

A LAS 6 DE LA TARDE VENDERÉ EL PALACETE

que es un edificio monumental, todo de material, con numerosas piezas y muchas comodidades. Tiene espléndido parque y jardines y el Área del terreno es de 11.900 metros.—Con una ligera reparación, puede convertirse esta propiedad en una mansión regia, que debe producir de alquiler, cien pesos mensuales, cuando menos.

BASE DE VENTA: 1 PESO EL METRO

debiendo entregar el comprador **500 PESOS al contado** y el resto lo abonará por mensualidades de **60 PESOS**.

A las 6 y 1/2, EL GRAN STUD Y CASAS ANEXAS

Sin verla, nadie puede darse cuenta de lo que representa esta gran propiedad, en cuya construcción se han invertido más de **tres cientos cincuenta mil pesos**, que lo mismo puede ser una Colonia, que un gran Stud, que una fábrica colosal o una escuela, para alojar 300 niños con toda comodidad, o una gran bodega donde se puede elaborar todos los **productos** juntos, de los departamentos de la Capital y Canelones. Puede instalarse también, una fábrica industrial, que procure trabajo a tres o cuatro mil obreros; un local **Tattersall** para exposición y venta de animales de todas clases o también un Stud señorial. Hay que verlo!
El terreno en que está construido y su bosque respectivo, abarcan una extensión de **43.500 METROS**. Esta colosal propiedad se vá a sacrificar con la base de

¡8 REALES EL METRO!

Esto es increible, pero, no hay más remedio que sacrificarlo. **Condiciones de pago:** el 10 por ciento al contado y el resto se abonará en 60 mensualidades sin recargo de interés alguno.

PARA IR, HABRÁ FERROCARRIL GRATIS

para todos. El convoy saldrá del Arroyo Seco, de la Estación Central del Ferrocarril del Norte, hoy del Estado, que queda en la esquina de las calles General Aguilar y General Caraballo.

A LAS 2 Y 40 EN PUNTO

y conducirá a los interesados a la Estación Llamas. El servicio de autobuses, también gratis, los llevarán desde allí hasta el lugar del remate, que queda a un paso de dicha Estación.
Tomen los trenes números 1, 2, 16 y 21, que van por Uruguay, Rondeau y Agraciada, o los números 15 y 22, que vienen del Cordón, por Uruguay y Rondeau y siguen por Agraciada. Deben bajarse en la esquina Agraciada y General Aguilar, donde encontrarán la banda de música.
Pueden llevar Señoras y Señoritas, pues la localidad es encantadora, y los bosques estupendos.
Yo no pido sino que visiten la localidad. Aquellos que quieran convertir cada real en un peso, cada peso en diez y cien y tal vez en mil, que vengan al remate.

GRANDES DESCUENTOS

a los que paguen al contado su compra o tan solo una parte de ella. No se cobra comisión ni gasto alguno. — Cada comprador dará como seña una mensualidad.
Más datos: **LA INDUSTRIAL, Sarandí 500, esquina Treinta y Tres.**

Un año después, mientras permanecía sin cambios la situación de los inmuebles que nos ocupan y aún faltando tres años para la inauguración del Argentino Hotel, el rematador se anticipaba a los acontecimientos y ya promocionaba sus intenciones de futuro a través de un folleto que anunciaba, con el verbo "surgir" conjugado en un mentiroso presente:

> "Al oeste del Hotel surge un <u>Pabellón</u> especial de 40 metros de diámetro con doble fila de palcos y 30 metros de altura, obra artística independiente de la construcción del Hotel. Todo ornamentado con plantas y flores y el centro se convertirá en sala de baile donde cómodamente bailarán los días de fiesta 2.000 parejas (sic)"

A tantos años de distancia debemos destacar el tratamiento lingüístico que Piria le da al asunto: queda claro que primero intentó vender en remate, o en forma particular en sus oficinas de "La Industrial", el inmueble donde funcionaba el "stud," pero casi con seguridad ya pensando en la nueva utilidad que le daría en la ciudad turística en caso de fracasar los interesados en adquirirlo, tal como ocurrió; pero cuando anuncia, con bombos y platillos como acostumbraba, la presencia de la circular edificación contigua al gran hotel, lo hace adjudicándole el nombre de "Pabellón", sin vincularlo en ningún momento con las anteriores actividades que en él tenían sede. Si se sigue el análisis desde este ángulo, y teniendo en cuenta los diferentes públicos, público montevideano el conocedor del stud cercano a la capital, y público argentino el que se pretendía conquistar para la ciudad turística, ¿no sería una tesis aceptable adjudicar al mismísimo sagaz rematador la autoría de un prestigioso origen francés al "Pabellón", salteándose su primera etapa hípica? Es dable suponer que para el ingenuo orgullo de un turista argentino de clase alta, bailando al son de famosas orquestas en el "Pabellón", se avendría más el antecedente parisino de un local encargado especialmente para el balneario, que el que registra realmente la historia imbricado en las patas de los caballos.

Por gentileza del arquitecto Mario Páez nos hemos enterado de una inscripción en una de las chapas del techo del Pabellón de las Rosas que reza: *"Queens head special flat"*. Se debe tener presente que las chapas deben confeccionarse a la medida de la estructura que las soporta, y por lo tanto necesariamente la misma empresa que las confeccionó tiene que haber sido la responsable de todo el inmueble.

El 23 de marzo de 1930 (el Argentino Hotel se inauguraría el 24 de diciembre de dicho año), y habiéndole quedado de clavo únicamente los grandes edificios de la Cabaña Anaya, el rematador sube la prima para liquidarlos y modifica el *modus operandi* del remate: en lugar de pedir precio por la mensualidad a pagar, esta vez estipula una seña y una cuota muy baja que queda fija, para rematar la cantidad de mensualidades en la que se abonará el precio. La sola mención de las disparatadas cuatrocientas y setecientas mensualidades en juego (¡cincuenta y ocho años!) explican que muy poco después los legisladores uruguayos pusieran orden en la materia. En cuanto a nuestro tema, vista la "bombástica piriana", si Piria hubiese incluido en este remate de los "grandes edificios" al Stud/Pabellón, lo hubiese destacado ampliamente, cosa que no sucede ahora. Los edificios se vendieron como el pan, al menos a estar por la información que al otro día publicaba: *"Los lotes fueron vendidos todos en 17 minutos"*, anunciando también una (lógica) rebaja de un 90% *"para las mensualidades de estas ventas cuyas plazos pasen de 400 o más meses"*.

En aquellos triunfales, tanto para el Uruguay como para Piriápolis, años treinta, el circular edificio tuvo más de una función, y por lo menos dos fechas de inauguración: una como sede de un gran baile, y otra como teatro la noche que recibió nada menos que al conjunto ruso "Los cosacos del Don", en gira por América Latina.

Pero, a estar por la propaganda publicada en *"La Tribuna Popular"*, aparentemente antes de las funciones artísticas Piria quiso congregar allí los fines de semana a la clase obrera y a las clases medias montevideanas, público éste que cimentó su fortuna con la compra de solares, mediante la oferta de un fin de semana en el balneario por un precio sumamente módico y que incluía un suculento almuerzo capaz de dejar ahítos a los mas comilones de los visitantes.

Dejando constancia de que las fotos de 1931 indican que el Pabellón aún no estaba terminado como lo conocemos actualmente, la folletería de la época propagandeaba:

> *"En el gran pabellón se sirven comidas abundantes y de primera calidad: 3 platos, pan, queso, fruta y pastelería, media botella de vino. Almuerzo completo durante la temporada por UN PESO.*
> *Resulta que con dos pesos cincuenta se hace la fiesta. Autobuses ida y vuelta* (a Montevideo), *todo por 25 reales.*
> *Esta innovación se hace para que el público sepa lo que cuesta un día entero de jolgorio.*

La inauguración del Pabellón como lugar de bailes la anunció Piria para el domingo 5 de febrero de 1933, día en que confluirían, por tierra un *"convoy de coches [...] por la hermosa carretera que une Montevideo con ese balneario"*, mientras que por el Río de la Plata viajaría *"el vapor de la carrera Ciudad de Montevideo"*, viaje que al cabo se hubo de suspender *"por no encontrarse la mar en condiciones"*.

Una nueva inauguración se realizó diez días después, el *15 de febrero de 1933*:

"LOS COSACOS DEL DON". Un nuevo atractivo se agregará desde mañana en el estupendo balneario Piriápolis para solaz de las familias que pasan la temporada en esta localidad. Como decimos desde mañana Piriápolis contará con un teatro pues será inaugurado en tal carácter el "Pabellón de las Rosas" por el conjunto artístico "Los cosacos del Don", conjunto éste que recientemente obtuvo tanto éxito en la sala de nuestro Estudio Auditorio. [La Tribuna Popular, 14.2.1933].

Como dato interesante "Los Cosacos del Don" actuaron en el Estudio Auditorio, en el Teatro Albéniz y realizaron una fiesta hípica en el Estadio Centenario.

El 16 de febrero Piria anunciaba una nueva función en virtud del brillante éxito con sala completa.

Para la semana santa de ese año se anunciaba la actuación de la compañía de Carlos Brusa.

El Pabellón de las Rosas pasó junto con otros inmuebles a poder del Estado en 1942. Fueron famosos los Festivales de la canción "De Costa a Costa" y "Reina de la Juventud".

PASEO DE LA PASIVA

En donde funciona actualmente el Paseo de la Pasiva, hubo "Cámaras de Baño" para servicio de los pasajeros del antiguo Hotel Piriápolis, aunque con seguridad no la enorme cantidad de seiscientas como promocionaba Piria en un folleto de 1927. (Véase fotografía de pág. 101).

Sección baños de mar. Edificio lo más soberbio, 600 cámaras de baño, todas independientes en medio de jardines; sección señoras y sección caballeros.

Todas las paredes estucadas al ripolín, amuebladas y ventiladas, lo más confortables, salón de duchas frías para cuando se sale del baño; en una palabra, lo más completo.

Al frente y en la parte alta, las terrazas y salón espacioso que están destinados al bar, espléndido palco con vista a la playa.

Aguas puras y abundantes, con pozos semisurgentes que dan más de 200.000 litros de agua por día.

Al frente y en un segundo piso funcionó una cervecería donde más adelante brindó sus funciones el cine argentino.

SAN ANTONIO

En tanto que se le conocía popularmente como "El santo de los novios", Piria ideó colocar una estatua de San Antonio en la cumbre del Cerro del Inglés para que las parejas peregrinaran hasta allí a solicitar su protección. El 14 de marzo de 1919 se podía leer en "La Tribuna Popular":

"El domingo próximo, 16 del corriente, se inaugura en Piriápolis el Santuario recién construido en la cumbre del Cerro del Inglés. Es un templete estilo "dórico" de soberbias proporciones, levantado bajo la dirección del arquitecto don Pedro Guichot. El revestimiento interior es de rico mármol de España, el pedestal del Santo es de granito violeta lustrado, y el Santo es obra del eminen-

Una procesión en el San Antonio poco después de su inauguración. Postal de la época.

te escultor francés señor Adolfo Beautiers. Mide dos metros cincuenta de altura, un capo lavoro.

A las dos de la tarde se efectuará la inauguración y bendición del Santuario, habrá banda de música, 2.500 bombas y reparto de medallas alegóricas a todos los concurrentes.

A las 4 de la tarde, en Punta Fría habrá grandes carreras y otras diversiones.

Han sido invitados todos los vecinos del departamento y de los limítrofes.

Hay más de 1.000 invitados.

Los autos pueden ir desde Montevideo en 3 horas, asistir los concurrentes a la fiesta y regresar en el día.

Será una fiesta soberbia. Solo es de sentir que no hay trenes directos porque más de 5.000 personas habrían concurrido desde Montevideo, pues es enorme el pedido de pasajes e informes.

Por datos, programas de la fiesta, planos para los automóviles, etc., concurrir a Sarandí 500, "La Industrial".

[*La Tribuna Popular*, 14 de marzo de 1919, pág. 4].

Sin embargo, 11 años después, un folleto de 1930 informaba:

"Sobre el Cerro del inglés, en la misma cumbre, mandé construir un templo que me costó una suma crecida. Traje de Europa una estatua de San Antonio. La localidad era frecuentada por todas las señoras y señoritas

Bodegas inauguradas el 28 de febrero de 1899. A la izquierda, arriba, el chalé suizo para vivienda del mayordomo Próspero Renaux, luego residencia de Carmen Piria.

que iban a Piriápolis –un buen día, digo, una mala noche sin ni siquiera presentar solicitud– pero que está allí patente, el odio contra la civilización, la irrupción hizo crisis, rompieron los cristales, abrieron la puerta, robaron el candado, picanearon la imagen, aquello fue un acto cruel de barbarie: allí está el pobre San Antonio poco menos que hecho trizas".

ALGO MÁS SOBRE LA BODEGA

A pesar de que ya nos hemos referido al tema en "Los vinos de Piriápolis", de los ríos de tinta que gastó Piria promocionando su industria seleccionamos a continuación lo que escribe de ella el periodista Héctor Vollo en el libro "Reisebilder"*.

"La bodega es otra vigorosa manifestación de la actividad de don Francisco Piria, cuya idiosincrasia despreciadora de los obstáculos merecería un lugarcito en el libro de Lessona, Volere e potere.

En efecto, hasta los comienzos de diciembre pasado, en el paraje donde aquel edificio extiende sus macizas paredes, ni las excavaciones para echar los cimientos se habían empezado aún. Las reducidas cosechas de los años anteriores –reducidas especialmente porque sobre el viñedo, todavía en formación,

---

(*) En "Crónica de la Costa - Departamento de Maldonado" escribimos por error que Héctor Vollo era un seudónimo de Francisco Piria. Héctor Vollo existió y practicó el periodismo en Montevideo; no obstante, a uno le queda la impresión de que "*Reisebilder*" se lo dictó el rematador de punta a punta.

habían caído las siete plagas de Egipto bajo forma de filoxera, de langosta, etc., y sobre todo, bajo forma de la ineptitud de los mayordomos anteriores, de los que uno llegó a quemar un sinnúmero de cepas con una solución antiparasitaria de proporciones sencillamente reventadoras– se guardaban en la cave del castillo.

Los primeros golpes de pico sonaron la mañana del día 20 de dicho mes y, desde entonces, de 80 a 100 hombres trabajaron incesantemente en la obra, porque el período de la vendimia se aproximaba rápidamente y Piria había dicho: Coute que coute, este año vinificaremos en la nueva bodega.

El mismo ingeniero, fundándose en su larga práctica, sostenía que aquello no podía ser, atento también a la circunstancia de que los materiales debían arrancarse de la contigua cantera y que toda construcción en piedra demanda mucho más tiempo que las de ladrillos.

Pero el fundador de Piriápolis se salió con la suya, pues el 28 de febrero, es decir, 70 días después, no solamente la bodega estaba concluida, sino que además los grandes toneles traídos de Francia estaban armados y perfectamente instalados.

Ese edificio, que se puede citar como ejemplo de solidez, está incrustado en la falda del cerro que flanquea Pan de Azúcar, entrando en un corte de tres metros y medio. Sus cimientos miden tres metros, su luz sesenta por once, sus costados nueve de alto y sus paredes ochenta y cinco centímetros de espesor.

En toda su longitud corren dos series de ventiladores, de las que una inspira y la otra expira, manteniendo, toda vez que se precise, una aereación constante y poderosa.

Mientras escribo estas líneas, se están colocando el cielo raso y las ventanas.

Los grandes toneles instalados hasta ahora, algunos de ellos de proporciones verdaderamente mastodónticas, proceden de la casa Gilly Hermanos de Nimes, una de las más acreditadas del mediodía de Francia, y son de una fabricación especial, extraordinariamente sólida.

Para armarlos, ha venido exprofeso el miembro de dicha razón social, señor Francisco Gilly, un joven muy inteligente que ha sabido valerse para su trabajo de elementos criollos pertenecientes al personal de Piriápolis, entre los que según me dijo, ha logrado formar dos discípulos que prestarán buenos servicios a las instalaciones posteriores del establecimiento. Los toneles montados son: cuatro de 30.000 litros, diez de 15.000, dos de 10.000 y dos de 5.000 que se han traído de la cave del castillo, forman, así para empezar, la pequeñez de 312.000 litros.

Digo para empezar, porque enseguida se instalarán 15 toneles más, de 15.000 cada uno, alcanzándose aproximadamente el medio millón de litros. Sin embargo, don Francisco Piria ha bautizado todo aquello con el modesto título de *primera sección de la bodega, y para ello ha tenido el pequeño motivo de que en los comienzos de la primavera próxima, construirá a continuación, la segunda, de idénticas dimensiones, y, detrás del actual edificio, en las entrañas del cerro ya mencionado, la tercera, toda abovedada, para la conservación de los vinos finos.*

Como se ve, el motivo, aunque pequeño, es de algún peso.

Pero hay algo más: a la izquierda de la primera sección y sobre una elevación soberbiamente panorámica, se está construyendo un chalet de dos pisos, de material y con líneas de palacete, para vivienda del mayordomo del establecimiento, y a su costado se levantará en seguida, durante el invierno próximo, la sección lagares, de 80 metros longitudinales, adonde los carros vendimiadores llevarán las uvas que pasarán de inmediato a la trituradora movida a vapor y de pistón continuo.

Complementará esta grandiosa bodega, única en Sud-América, un sistema de cañerías especiales, por las que el vino, una vez fermentado, pasará al gran filtro y a los toneles por simple presión natural.

Todas estas instalaciones se están efectuando de estricta conformidad con los más modernos y mejores sistemas de vinificación, bajo las órdenes directas del mayordomo señor Próspero Renaux, que es un inteligente especialista de la materia, pues hace más de veinticinco años que se dedica con entusiasmo y con entera contracción a la viticultura y a la enología. En Avignon, lugar de su nacimiento, el señor Renaux posee un establecimiento congénere que no desmerece al parangón de los mejores existentes en la tierra clásica de la vinificación.

Consta el viñedo, actualmente en plena producción, de 250 cuadras, cuyo número en el invierno entrante será elevado considerablemente. Representan estas 250 cuadras un millón doscientas mil cepas europeas, aproximadamente, de las cuales más de la mitad está injertada sobre pie americano."

EL REGLAMENTO INTERNO

Durante años el Reglamento de 1898 era conocido en Piriápolis por muy pocas personas, lo que contribuía a que se tejieran las fantasías y elucubraciones más disparatadas sobre su contenido. Por ello publicamos ahora sus cincuenta y siete artículos textualmente. La cuestión obrera fue tratada con mucho pormenor en la edición de 1990 y siguientes, oportunidad en que tuvimos la fortuna de entrevistar personalmente a una docena de contemporáneos de Piria. (Véase el Capítulo X). Debe tenerse presente que la administración del balneario la ejerció por muchísimos años Carlos Bonavita y nunca Francisco Piria en persona. El juicio más contundente sobre el reglamento interno lo expresó "Pepe" Mondelo, padre de Eduardo Mondelo, el mártir piriapolense asesinado por la dictadura. "Pepe" decía, palabra más o menos: "–Ma, ¿dónde viste vos que un criollo le dé bolilla a los reglamentos?"

"Reglamento interno del Establecimiento"

El patrón da su dinero para que el peón le devuelva el equivalente en trabajo. Así como, vencido el mes el patrón debe pagar, es justo que durante el mes el peón trabaje.

Aquel que no cumple con su deber y que debiendo trabajar hace cebo roba a su patrón.

El peón que roba al patrón será despedido del Establecimiento.

Artículo 1o. - La Dirección y Administración de Piriápolis y sus dependencias estarán exclusivamente a cargo de su propietario o del director del Establecimiento, quedando éste facultado para nombrar capataces, encargados de secciones, y tomar o despedir peones cuando lo crea conveniente a mis intereses.

Art. 2o. - El Establecimiento asignará a cada peón el sueldo que deba ganar y a medida que se porte bien y merezca aumento se le dará; así como también cuando el [...], asignado se les [...] previamente y en caso de no convenirle podrá retirarse del Establecimiento.

Art. 3o. - A la primera campanada que se toque por la mañana deberán los peones levantarse; y a la segunda marchar al trabajo.

Art. 4o. - Todo peón que al toque de la campana no marche enseguida al trabajo, perderá un cuarto de día.

Art. 5o. - Los peones que al marchar al trabajo, sea de mañana o de tarde, lo hicieran con lentitud y perdiendo tiempo, serán despedidos.

Art. 6o. - El peón que por cualquier causa no pueda trabajar se retirará del Establecimiento.

Art. 7o. - El peón que trabaje aisladamente dará cuenta de su trabajo a la noche y no haciéndolo perderá el día.

Art. 8o. - No podrá suspenderse el trabajo sino al izarse la bandera en el puesto central al medio día y al toque de campana a la tarde.

Art. 9o. - Todo peón que no obedezca las órdenes de superiores o capataces de cuadrilla será despedido.

Art. 10 - Todo peón que se retire del Establecimiento y que haya dado mérito para que se le despida cobrará su haber el día en que se efectúe el pago de la peonada.

Art. 11 - Antes de las 7 de la mañana los domingos deberán hacer la limpieza de todas las habitaciones estando obligados a esa tarea.

Art. 12 - El peón que [...]

Art. 13 - [...]

Art. 14 - Toda vez que haya trabajos urgentes, los peones estarán obligados a prestar servicio en día de fiesta, recibiendo proporcionalmente doble jornal del que perciben en el curso del mes. En caso de negarse pagarán un peso de multa.

Art. 15 - Todo arador está obligado a llevar en la rastra de madera los arados al sitio de trabajo, y traerlos, limpiarlos y acomodarlos en el Central una vez terminada la tarea.

Art. 16 - El arador que por descuido rompa una herramienta pagará la compostura; lo mismo si rompe árboles, postes de alambrado, u ocasione cualquier desperfecto.

Art. 17 - Cuando los encargados de cuadrilla o del Central deban hacer una amonestación a algún peón, lo llamarán aparte, observándole lo que crean necesario y con buenas maneras.

Art. 18 - El peón a quien se le haya hecho una amonestación y reincida en faltar, o no cumpla con su deber, será despedido del Establecimiento sin darle ninguna explicación y cobrará cuando se le pague al personal.

Art. 19 - A ningún peón se le fijará sueldo al [...] en el Establecimiento sino después de transcurrida la primera quincena.

Art. 20 - Toda reclamación que tenga que hacer un peón la hará directamente al propietario o al director y a solas, nunca en presencia de terceros.

Art. 21 - A las nueve de la noche en verano y a las 8 en invierno se tocará la campanada de silencio, debiendo [...].

Art. 22 - [...].

Art. 23 - El peón que no obedezca las órdenes del capataz, del cual depende, será despedido en el acto.

Art. 24 - Los domingos desde las 7 de la mañana, hora que debe terminarse la limpieza, hasta las 8 de la noche [...] francos todos los peones del Establecimiento y únicamente se dará de comer a aquellos que no se ausenten durante el día. El peón que durante el día ha andado de paseo no tiene derecho a comer en la casa.

(*) Hay partes ilegibles en el documento original que hemos utilizado. Se sustituyen por [...].

Art. 25 - A todo peón que el lunes no trabaje se le descontarán dos jornales, y si sigue faltando será despedido.

Art. 26 - Los capataces darán cuenta diariamente al director de las faltas en que incurran los peones de sus cuadrillas, así como la conducta de los que se portan bien y trabajan.

Art. 27 - Si al hacer la revista, en cualquier momento faltara alguno, se le descontarán dos jornales.

Art. 28 - Están absolutamente prohibidas las discusiones políticas sobre los partidos blanco y colorado. El que contravenga esta disposición será despedido en el acto.

Art. 29 - Queda prohibido tomar mate y lavarse en las piezas y arrojar agua sucia en el patio. El que contravenga esta disposición será multado en 50 centésimos.

Art. 30 - Todos los meses se considerarán de 30 días para el arreglo de los jornales.

Art. 31 - Cuando un peón solicite y obtenga una licencia por un tiempo determinado para ausentarse del Establecimiento y no vuelva el día fijado, será multado en un peso.

Art. 32 - A todo peón que se despida una vez por falta de cumplimiento no se le admitirá más; al efecto se llevará un libro especial en el cual se anotarán para tenerlos siempre presentes a todos los que se despidan y las causas que para ello han dado mérito.

Art. 33 - El peón que se ausente del Establecimiento durante la noche será despedido en el acto, pagará 2 $ de multa y no será más admitido en el Establecimiento.

Art. 34 - Todo peón que deje la herramienta en el campo, abonará 50 centésimos de multa.

Art. 35 - Es absolutamente prohibido trotar dentro del viñedo con los carros. El que incurra en esa falta abonará 20 centésimos de multa.

Art. 36 - Queda prohibido todo juego de lucro en el Establecimiento. Si alguno contraviniera esta disposición será denunciado a las autoridades para que le apliquen el castigo.

Art. 37 - Quedan prohibidas las visitas de extraños al Establecimiento; ni entrar en el viñedo, cuando es el período de maduración de la uva, sin orden especial.

Art. 38 - El peón que para limpiar herramientas en el trabajo recurra a hacerlo contra los alambrados, golpeando los postes o piques será despedido después de hecha la primera amonestación.

Art. 39 - Queda prohibido ir a buscar la comida con latas viejas y platos pequeños. Todo peón deberá proveerse de una fuente grande de lata para la comida.

Art. 40 - El que ocasione desperfectos en la tarima que se le entregue, abonará las roturas.

Art. 41 - Todo peón que se presente ebrio será despedido en el acto del Establecimiento.

Art. 42 - [...].

Art. 43 - [...].

Art. 44 - Todo peón que arranque fruta del Establecimiento, la calidad o cantidad que fuere, pagará un peso de multa, y a la calle!

Art. 45 - Los pagos del personal se efectuarán dentro de los primeros quince días después de cada mes vencido.

Art. 46 - El que carpiendo rompa una planta pagará 5 reales de multa y será despedido.

Art. 47 - El que rompa un árbol abonará un peso de multa y si reincide se le despedirá.

Art. 48 - Ningún carrero podrá transitar dentro del Establecimiento o en donde haya portera, sino marchando a pie delante de los bueyes. Aquel que no lo haga será despedido.

Art. 49 - Todo el que rompa algo o cause desperfecto abonará el perjuicio.

Art. 50 - El que deje una portera abierta pagará 20 centésimos de multa.

Art. 51 - Queda absolutamente prohibido a todo peón, sea quien fuere, entrar a los potreros ni de día ni de noche, a buscar caballos, sin permiso del encargado del Central.

Art. 52 - El peón que entre a los potreros a tomar caballos, será considerado *ladrón* y denunciado como tal a las autoridades respectivas, para que le apliquen el castigo que con arreglo al Código Rural merece.

Art. 53 - Solo se considerarán días feriados los Domingos, Año Nuevo, Viernes Santo y Navidad.

Art. 54 - A todo peón que entre en el Establecimiento se le leerá este reglamento, significando con su ingreso que se compromete a cumplirlo en un todo.

Art. 55 - Cuando los aradores con bueyes concluyan su trabajo, marcharán al lado de ellos llevándoles de la orejera.

Art. 56 - Es facultativo del propietario prolongar en verano las horas de la siesta, obligando al peón que el tiempo que se le da de más de descanso al medio día cuando el sol es demasiado fuerte, que lo devuelva después de entrado el sol, en la hora crepuscular.

Art. 57 - Todo peón que orine en el patio, o alrededor del Central y haga sus necesidades fuera del escusado, será multado en 25 centésimos y si reincide será despedido.

FRANCISCO PIRIA
Piriápolis, Octubre de 1898".

EL CASTILLO DE PIRIA

Aunque tal vez agrega muy poca cosa en lo sustancial, a continuación se transcribe de *Reisebilder* (1899) un trozo referente a la obra del ingeniero Aquiles Monzani, finalizada en 1897. Lamentablemente pudimos comprobar por nuestra propia experiencia, cuando dictamos clases de "Historia de la zona" durante dos ejercicios, que la Intendencia Municipal de Maldonado no exige como debiera la suficiente preparación a los informantes turísticos que reciben a los visitantes del Castillo.

"Se levanta el castillo, bonita obra arquitectónica del ingeniero Aquiles Monzani, en una loma, como ya dije, que le sirve de adecuado basamento y que confiere mayor esbeltez a sus tres pisos superpuestos, franjeados de torreones y de almenas donde nidifican las palomas. A su frente se abre un ancho camino de dulce declive, que empalma con la arteria longitudinal de Piriápolis, en cuya confluencia están plantadas las primeras obras de defensa del castillo, las que consisten en unas torrecitas con grande verja simulando el puente levadizo.

Todo ese perímetro, así como una regular zona que se extiende a los lados y detrás de la residencia señorial de Piria, están dedicados al parque que se viene formando bajo la dirección de dos jardineros traídos de Montevideo. Las estatuas, de bronce y de terracotta [sic], un verdadero pueblo de estatuas, los jarrones y demás adornos, importados directamente de Europa, se hallan ya colocados en los varios canteros, y, de entre todos ellos, sobresale un espléndido bronce, de factura romana o pompeyana, que ocupa triunfalmente el centro del parque como nota fundamental en aquella vasta euritmia, y que representa a Mercurio en descanso.

Es el leitmotiv de los orígenes de Piriápolis que asoma una vez más después de siete años, es decir, desde el día en que Piria salió con algunos amigos de Montevideo buscando un pintoresco rincón donde descansar periódicamente de sus tumultuosas tareas diarias.

Está del mismo modo colocado un múltiple sistema de cañerías de fierro galvanizado para el riego del parque, las que se alimentan en una gran pileta-depósito adonde llega el agua extraída de un manantial sito a 750 metros de distancia por un poderoso molino a viento que eleva una columna de dos pulgadas y media de espesor a 40 metros de altura.

En el costado Este del parque se plantará en los comienzos del mes entrante un bosquecillo, destinado a encuadrar en su verde marco el perfil del castillo.

Visitamos también en nuestra gira la caballeriza, imponente edificio que se está construyendo en la falda de un cerro bautizado por Piria con la denominación de

Cerro de los Gigantes, atento a los grandes blocks de cienita que coronan su cumbre; la quinta, cuya extensión abarca dos cuadras y en la cual se cultivan varios frutales y una colección de hortalizas; el palomar y el gallinero construidos por la carpintería y por la herrería del establecimiento.

Hay que advertir que tanto el hermoso camino que se abre frente al castillo como el parque representan una muy considerable suma de trabajo, pues, por lo que se refiere al primero, hubo que acometer grandes movimientos de tierra, cientos de miles de carradas, para darle el actual declive uniforme, en cambio de las bruscas ondulaciones que presentaba en su estado primitivo, y, por lo que se refiere al segundo fue necesario extraer grandes masas de pedregullo y reemplazarlas con humus traído de bastante lejos.

[...]

Hay que advertir, una vez por todas, que don Francisco Piria, encarnando munificentemente el Leitmotiv de que he hablado y que tiene su síntesis artística en la estatua de Mercurio en descanso colocada en el centro del parque, ha concentrado en su castillo todo el confort deseable, resolviendo triunfalmente el problema: vivir en pleno campo con todas las más refinadas comodidades de la capital.

Por de pronto, su mansión, que está amueblada regiamente, posee una selecta colección de cuadros y de estatuas, como para proporcionar los goces elevados y serenos del arte; una escogida panoplia, en la cual las armas de caza están anchamente representadas, como para despertar veleidades venatorias hasta en el propio doctor Albarracín, clásico propagandista de la Sociedad protectora de animales que actúa en Buenos Aires; una buena biblioteca; los más conocidos juegos de sociedad, inclusive un excelente billar, etc., etc..

Luego hay un servicio irreprochable, empezando por el de la cocina, cuya dirección está a cargo de un cordón bleu que es todo un especialista, de la escuela francesa, y que ejerce su misión con la dignidad de un apostolado. Así, toda vez que don Francisco Piria, demorado por los quehaceres del Establecimiento, llega a almorzar o a comer con algún retardo, invariablemente le sale al paso su cordón bleu quien, con cara severa y desolada al mismo tiempo, le dice: ¡Pero son estas, don Francisco, las horas de venir a comer!... ¡Y su estómago!... ¡Y su salud!

Complementa ese servicio una cave repleta de los más exquisitos vinos de Europa, que ya empiezan a mantener relaciones de buena vecindad con los cosechados en Piriápolis.

Además, el alumbrado es a gas, a la espera de que se instale la luz eléctrica, lo cual, según todas probabilidades, se llevará a cabo en el invierno entrante, y una red telefónica pone en comunicación el castillo con todas las dependencias del establecimiento, inclusive la casilla del guarda-costa que vigila el puerto.

Es el comedor un lujoso salón amueblado al estilo medioeval con grandes trofeos de armas colgando de las paredes.

[...]

La señora nos instaló en un departamento del piso bajo, una serie de aposentos corridos, destinados a los huéspedes".

CERRO PAN DE AZÚCAR

Aprovechamos la presente reedición para despejar el origen del nombre del cerro. Existen varios cerros llamados "Pan de Azúcar" en Latinoamérica. En los ingenios azucareros que extraen el azúcar de la caña, se denomina con este nombre al cono de punta redondeada que forma el "bagazo", la caña luego de triturada para extraerle el jugo.

Con respecto a la importantísima reserva de fauna que tiene allí su sede, en 1995 Ediciones de la Banda Oriental publicó "El sol de los venados", de nuestra autoría, en donde se da cuenta de las principales especies de la fauna uruguaya.

A continuación se transcribe el capítulo "Excursiones al cerro Pan de Azúcar", del folleto *Piriápolis. El más completo balneario de Sud-América*, Talleres Gráficos Peuser, Buenos Aires, 1919.

"Excursiones al Cerro Pan de Azúcar

Las ascensiones al cerro son numerosas, según el sendero que se tome.

Hay sitios por los cuales se sube al Cerro en una hora y otros los hay que la ascensión demora hasta cinco horas.

Las excursiones se hacen atravesando inmensos bosques naturales, por los que se llega a la cumbre en medio de palmeras, cocus campestres, helechos y calagualas: entre una vegetación lujuriante, tropical, de orquídeas, claveles del aire y mil variedades de flores naturales que brotan allí a montones.

El panorama que se divisa desde la cumbre del cerro es indescriptible. A los 500 metros de altura hay una espléndida pradera de unos 10.000 metros de superficie*.

En la cumbre del cerro un amontonamiento de grandes bloques forman una gruta, dentro de la que caben cómodamente 50 personas; hay variados ejemplares de palmeras y en la ladera hay bosques estupendos sobre la misma cumbre.

La senda de ascensión recientemente delineada pasa al lado de la fuente de San Lorenzo, que es un manantial de rica agua mineral, que está en el bosque a 150 metros de altura sobre el nivel del mar.

En este sitio se encontró un ancla de buque, que según peritos que la han visto, data del período del descubrimiento de América. Hay indicios presuntos de que fue ese el sitio en donde los indios salvajes se comieron crudo a Solís. Los indios modernos van a comer allí en el bosque los corderos... asados; y otros comen reputaciones, con más comodidad y menos riesgo. ¡Algo se ha adelantado! Aparentemente. El ancla puede verse allí.

Las guías acompañan a los viajeros que no quieran perder tiempo ni extraviarse.

Otra excursión al cerro del Pan de Azúcar es la meseta de Solís, en donde está el bloque de granito aislado que pesa más de 20.000 toneladas; en el que se encuentran

---

(*) La altura del cerro, según las mediciones del Servicio Geográfico Militar, es de 386 m.

inscripciones de *Ocre* que datan del siglo XVI, según las observaciones de los varios geólogos que han visitado la localidad.

El ferrocarril Piriápolis pasa por ese sitio encantador y allí, contiguo a la gran "Piedra Solís", está abierto un túnel que mide 300 metros de extensión por 10 metros de altura, hecho en la roca viva. Es una de las mil maravillas de Piriápolis; ferrocarril de por medio está la "Piedra Molde" digna de verse y visitarse; es una bocha que mide 4 metros de alto por 5 de largo, abierta en el centro, al que se penetra por una pequeña abertura. Cuando uno se encuentra dentro de la mole se apercibe que aquello es de un período que se esfuma con el tiempo; ha de haber servido de molde a algún animal prehistórico.

Todos los sabios geólogos y naturalistas que la han visitado, han quedado absortos ante ese fenómeno.

Siguiendo el trazado de la vía y a 146 metros de altura, que es adonde llega la locomotora, está el terraplén más descomunal; mide 70 metros de altura, por una superficie de 10.000 metros. Siguiendo el camino está al lado de la vía la piedra movediza!

Toda esta explanada está al pie de una mole compacta de granito que mide 120 metros de largo por 100 de alto.

Es el más lindo exponente de las explotaciones graníticas. Allí, al pie, está el guinche eléctrico que levanta 20.000 kilos; la instalación de maquinarias y los caños de aire comprimido para efectuar los barrenos que trepan a la cumbre del cerro, todo está allí reunido.

La locomotora, con su séquito de vagones, llega al pie del guinche para cargar el rico mineral.

Desde allí se vislumbra al pie del Cerro las grandes instalaciones, talleres mecánicos, fábrica de adoquines, instalación de motores Diesel, de aire comprimido, máquinas eléctricas, depósitos reservatorios de agua, depósitos de materias inflamables, chalets, molinos, vías, depósitos generales de enseres, depósitos de vagones y locomotoras; en una palabra: está allí la levadura de la gran operación, pronta a iniciarse cuando la guerra termine.

Al pie de las canteras hay varios ramales de vía: los que suben al Cerro del Pan de Azúcar, los que van al este del Castillo, los que van al Pueblo, los que van al puerto y los que van a las canteras de los *labradoritis*; es una irradiación de vías para todas las distintas y variadas explotaciones.

Las máquinas para hacer adoquines son 20, que pueden dar 30.000 adoquines grandes, o de no, pueden producir 120.000 de los chicos, diariamente, como los colocados recientemente en la calle Agraciada. En Buenos Aires les llaman granitullo.

Como esta instalación va a resultar pequeña, vamos a instalar 8 máquinas más; así el producto anual será alrededor de 15 millones de adoquines grandes, o 60 millones de los pequeños.

[...]

Dentro de breves meses se instalarán las maquinarias que podrán producir diariamente no menos de 100 metros cuadrados de chapas de granito, cortada y lustrada; además de estos productos manufacturados se fabricarán, a máquina, losas de vereda y cordones de granito y se exportará por la vía terrestre y marítima montañas de bloques de las múltiples variedades de pórfidos y granitos de esta rica región.

Las instalaciones deben visitarse minuciosamente, pues vale la pena de dedicarle un día entero.

Casi a diario habrá excursiones en tren a la mitad del cerro, que conducirán a los pasajeros a 146 metros de altura: en medio de bosques naturales, grandes bosques de palmares y helechos. Estas excursiones se anuncian siempre con un día de anticipación en el Hotel Piriápolis, que es el punto de partida.

Es digna de visitarse la gran cueva del Hermitaño, [sic] a 200 metros de altura sobre la base del Cerro del Pan de Azúcar. La forma un hacinamiento de grandes bloques superpuestos los unos a los otros, de tal manera, que resulta maravillosa esta obra de la Naturaleza, formada por una verdadera sucesión de piezas habitables en las que puede vivir cómodamente mucha gente."

LA MUERTE DE PIRIA

Aunque parece que al periodista que escribió la nota –con mucha torpeza– se le hubiese pegado el afán publicitario del rematador fallecido, vaya textualmente lo publicado en "La Tribuna Popular" con fecha 11/12/33. Estimamos también de interés la transcripción de los dos avisos fúnebres.

Es de señalar que Piria murió de congestión pulmonar, según los registros del Cementerio del Buceo. Sus restos nunca fueron reducidos.

"Cómo murió Piria

La lucha que mantuvo la medicina para salvar esta preciosa vida fue intensa pues había de lucharse con una fuerte complicación, combatiéndose simultáneamente la congestión pulmonar, la diabetes, la uremia y la debilidad del corazón.
El organismo ya sentido del enfermo no ayudaba en esta lucha.
A la cabecera del paciente se instaló una junta de médicos constituida por los doctores Landeira, Quagliotti, Anaya y Delguer, secundados por algunos practicantes.
Sin apartarse de su lecho, estaban su esposa Emilia Franz de Piria, y sus cuatro hijos, Adela, Francisco, Arturo y Lorenzo.
Los médicos a pesar de la gravedad del colapso no desesperaban de hacer reaccionar al paciente, el que pasó las últimas horas de la mañana en un delirio constante, pronunciando frases incoherentes en que se traslucía su preocupación de progreso.

Hablaba de mejorar sus balnearios, haciéndolos posibles de acceso de la mayor cantidad posible de gentes modestas y planeando grandes mejoras para hacerlos más útiles al País.

Los últimos momentos de don Francisco tuvieron la grandeza de los viejos patriarcas bíblicos: murió como si se acostara a dormir, dulcemente, no como el trance fatal y doloroso.

El practicante que mantenía la observación a las 12 y 30 notó que el pulso del enfermo se debilitaba rápidamente, llamando a los médicos que en ese momento se disponían a retirarse luego de hacer las indicaciones para la tarde.

Pero cuando los médicos se disponían a auxiliarlo, don Francisco, como entregándose al sueño, vencía su cabeza.

El creador de Piriápolis había muerto naturalmente como una luz que se apaga."

***

Su sra. esposa Emilia Franz de Piria; sus hijos: Adela Piria de Ísola, Francisco José, Arturo y Lorenzo; sus hijas políticas: Adelina Dell'Ísola, Margot Etchevarría y Dora Dell'Ísola, su hermano Juan P. Piria; su hermana política Julia M. de Piria, sus nietos, Magdalena Ísola Piria de Rinaldi, Albérico y María Adela Ísola Piria, Myriam y Arturo Piria Etchevarría, Jorge y Lorenzo Piria Dell'Ísola, nietos políticos, bisnietos, sobrinos y demás deudos.

Casa de duelo Ibicui 1310
16 horas
Casa Urta

Su hija: *Carmen Piria de Bertón*, su nieta Martita Bertón Piria y su hijo político Gastón Bertón [invitan al] acto de inhumación de sus restos.

ARTIGAS Y EL CERRO DEL TORO

Por esas cosas curiosas que tiene la Historia, o tal vez sea más adecuado decir "la interpretación de la Historia", en el departamento de Maldonado se recuerda con gran pompa el ingreso de José Artigas (nunca firmó "Gervasio") al Cuartel de Dragones. Si, pasados los años y con ellos las variaciones políticas por todos sabidas en el actual territorio de la República, se festeja con toda justicia el levantamiento revolucionario de Artigas contra el poder español, la fecha del ingreso del mismo al servicio de España, período que duró largos quince años, debería verse con el signo contrario.

Más allá de esto, lo cierto es que fue muy poca la actividad que le cupo al héroe nacional en el actual territorio del departamento de Maldonado; y la que destacamos tiene que ver, lógicamente, con la importancia militar de sus puertos, el puerto de Maldonado y el puerto del Inglés, hoy puerto de Piriápolis. La importancia militar del

León de terracota, hoy inexistente. Estaba ubicado en el Cerro del Toro, en la explanada situada por encima de la escultura del toro.

puerto de Maldonado y su isla Gorriti tiene su antecedente más lejano, que pudo haber cambiado radicalmente el desarrollo posterior sudamericano, cuando en el siglo XVI el gobernador de Buenos Aires Valdéz de la Banda propone a los reyes hacer el tráfico de metales preciosos eludiendo el Mar Caribe infestado de piratas, hacia el puerto de Maldonado debidamente fortificado, y desde allí hacia Buenos Aires y luego hacia el Perú por tierra ("*Crónica de la costa*", pág. 93).

Desde el Cerro del Toro (252 m de altura) se domina claramente la bahía donde está ubicado el puerto de Maldonado y el trayecto hasta el Puerto del Inglés a sus pies; no así la costa hasta el puerto de Montevideo. Por estas características, cuando el gobierno colonial español se preparaba para defenderse del [bien] esperado ataque naval inglés, estableció un "*Sistema de fuegos y señales*" tal que, una vez avistada desde el Cerro del Toro la escuadra inglesa aproximándose al puerto de Maldonado, desde allí se encenderían de una a tres fogatas, de acuerdo con número de barcos, fuegos que debían divisarse desde Piedras de Afilar donde se encenderían otros que finalmente alertarían a Montevideo. Consultado José Artigas sobre el tal sistema, da una vez más muestras de su minucioso conocimiento del territorio y aconseja colocar otra señal de fuego intermedia: "*se encienda también fogata en la barra del* [arroyo] *Pando*", para asegurarse de que la señal sería recibida en tiempo y forma.

Vale aquí anotar que el soldado que debía vigilar y eventualmente encender los fuegos en la cumbre del Cerro del Toro, venía desde la guardia Pan de Azúcar, pasando por el "*paso del soldado*", nombre histórico que convendría reflotar ya que Piria lamentablemente lo cambió por el más turístico de "*zanja del encanto*". Y anotar también que cuando se produjo la invasión inglesa fue tan grande el número de embarcaciones que el soldado debe de haberle prendido fuego a todo el cerro.

LA CRUZ DEL PAN DE AZÚCAR

Siendo el cerro el gran protagonista del paisaje, y mucho más para quienes viajan por mar, durante casi trescientos años la ensenada que luego se designara como Puerto Inglés y Puerto de Piriápolis, se designó genéricamente como *costa de Pan de Azúcar*. Ese protagonismo fue realzado en 1933, al cumplirse mil novecientos años de la muerte de Jesucristo, por la construcción de la cruz en su cumbre por parte del sacerdote jesuita Engelberto Vauters. La empresa que lideró Vauters fue apoyada por la familia del recién fallecido Francisco Piria y fue el propio arquitecto Guillermo Armas quien diseñó el monumento y la empresa de Ísola y Armas la encargada de la obra (los Ísola se emparentan con los Piria por el casamiento de Adela Piria, la única hija mujer *legal* del creador de Piriápolis). Los testigos de su empinadísima construcción, que fuera solventada hasta por una colecta nacional, son acordes en resaltar el alto sacrificio de mulas y hombres para llevar cemento y arena hasta la cima. La cruz fue inaugurada el 27 de noviembre de 1938, con motivo de celebrarse durante ese año el Tercer Congreso Eucarístico Nacional.

Burros y mulas son los cuadrúpedos más adecuados para el tránsito por las sierras pedregosas, y testimonios orales contemporáneos señalan que el Cerro de los Burros, luego Cerro de la Virgen, ubicado próximo al Cerro Pan de Azúcar, debe su nombre a tropillas de aquellos animales, existentes allí vaya uno a saber por iniciativa de quién.

Existen en Latinoamérica numerosos cerros Pan de Azúcar; de antiguo se señala que tal nombre proviene de la forma que tomaba el *bagazo*, el desecho de la caña triturada para extraer el jugo del vegetal, una especie de cono de base ensanchada y punta roma. El historiador de Pan de Azúcar profesor Ricardo *Chino* Figueredo sostiene que una característica culinaria de la región fue la confección de un *pan* con esa forma que incluía pequeños trozos de azúcar morena.

La subida al cerro (de 386 m de altura) y a la cruz puede ser el complemento ideal de una visita a la Reserva de Fauna si se hace con el tiempo prudencial (ha habido accidentes por menores que se han extraviado al hacérseles la noche); su altura hueca de treinta y cinco metros se puede escalar por medio de una escalera construida a esos efectos y el espectáculo desde la cumbre bien premia el esfuerzo del (fatigado) visitante.

[*Crónica de la Costa - Maldonado*, p, 119 y ss.]

RESERVA DE FAUNA

Ubicada en la falda del cerro Pan de Azúcar –allí donde funcionaban los Talleres, la industria minera de Piria– la Reserva ha resultado el sueño de un hombre, su director, Tabaré González, hecho realidad*.

González fue incrementando su interés por los animales desde sus corretos infantiles como hijo de un jefe de estación de ferrocarril de variados destinos. Ya poseía una colección importante de insectos cuando el intendente Curuchet le propone el desafío de abandonar su seguro empleo bancario para hacerse cargo de un cerro pura piedra y chirca. Pero el proyecto lo seduce y la excelente performance con los *venados de campo*, el autóctono y delicado *Ozotoceros bezoarticus*, pone a la Reserva en camino de la fama y hoy es uno de los orgullos de la Intendencia de Maldonado, con 350 mil visitantes anuales. El principal atractivo de la Reserva es que la gran mayoría de las 600 especies en exhibición están en semicautividad, en las condiciones más aproximadas a su ambiente natural.

La labor paciente y empecinada de Tabaré González, con el apoyo de su esposa Mirtha, que debió mantener en su hogar un lobito de río en la bañera y criar con mamadera a unos cachorros de puma entreverados con sus propios perritos mascota, tuvo uno de los principales reconocimientos internacionales cuando el zoo de Berlín destacó al rebaño de venados de campo en semicautividad de la Reserva como el más importante del mundo.

Hubo que *inventar e improvisar* en los comienzos, como dice Tabaré, con el cual colaboró el veterinario piriapolense Alzarello, obligados por falta de información científica sobre las especies autóctonas. En cierta oportunidad, para averiguar sobre una enfermedad desconocida que estaba atacando al rebaño, hubo que enviar como simple encomienda por un ómnibus de línea los restos de un venado a un laboratorio de Montevideo.

Al cabo, superando los inconvenientes de un emprendimiento comenzado en las condiciones más elementales, la Intendencia fue acompasando con su apoyo el creciente éxito de público que ha corrido paralelo con los criterios modernos de revalorización cultural de fauna y flora autóctonas.

El trazado de la doble vía a Punta del Este por el Norte de la Reserva, deja a ésta ubicada en el centro de una zona semi-rural que así ha quedado libre de la contaminación de la cáscara de cemento urbano que amenazaba la costa de Maldonado, y formando línea con un circuito histórico-turístico que se conforma con Piriápolis, el Castillo de Piria, la Central, y la impronta cultural de la ciudad de Pan de Azúcar, recientemente convertida en Museo Abierto mediante la pintura de frescos realizados por los artistas más prestigiosos del Río de la Plata.

(*) Para la historia de la Reserva de Fauna y su Director: *El sol de los venados*, Luis Martínez Cherro, Ediciones de la Banda Oriental, 1995.

ARGENTINO HOTEL

"Este hotel no se ha construido con fines de lucro, sino para satisfacer el anhelo de su propietario, que, patrióticamente, quería que en su país se diera la nota más alta en cuanto a construcción y alhajamiento de hoteles se refiere". (Palabras de Francisco Piria).

Ya desde 1912 rondaba en la cabeza de Piria la idea de un hotel monumental, y así lo escribía en un folleto de ese año: *"En cuanto consiga el establecimiento del Casino se dará principio al nuevo hotel con capacidad para seiscientas personas, con ochenta cuartos de baño calientes y fríos de agua dulce y de océano, con comedores colosales, sección gimnasia, sección ortopédica, eléctrica, teatro, salón de baile, jardines de invierno, en fin, algo monumental, cuyos planos está perfeccionando el arquitecto oriental señor Jones Brown."*

En un folleto de 1916 escribía: *"El Nuevo Hotel, contiguo al existente, que se va a construir de inmediato, tendrá todo el servicio directo de esta fuente (Qui si sana). La sección hidroterápica está servida por la cañería de esta fuente.*

El nuevo hotel tendrá 120 apartamentos, compuesto cada uno de ellos de dos grandes habitaciones, con frente al mar o al bosque, indistintamente. Cada departamento tendrá su cuarto de baño, con bañaderas, lavatorio con agua corriente y W.C., además una pequeña pieza para los baúles y guardarropa.

El nuevo comedor medirá 50 metros por 40, o sea una superficie de dos mil metros cuadrados.

Esta obra monumental se empezará a construir a principios de 1917, y deberá estar terminada para la próxima estación 1917-1918 y tendrá capacidad para 500 personas".

En el citado folleto de 1919 titulaba EL HOTEL MÁS GRANDE DE SUDAMÉRICA:

"El nuevo Hotel Piriápolis en construcción será la obra más colosal de Sud-América. Los planos [los] acaba de terminar el arquitecto francés radicado en Buenos Aires, señor Pedro Guichot. El edificio mide 150 metros de frente al mar por 120 metros de fondo. Tiene tres pisos de altura, y uno de subsuelo. Capacidad para MIL PERSONAS. El comedor mide 2.000 metros de superficie; grandes halls, salones monumentales, sala de lectura, diversiones, billares, etc., sala de baile y salón-teatro.

Hay 120 cuartos de baño calientes y fríos, de agua salada, y agua dulce de las fuentes ferruginosas de Piriápolis. Ningún hotel del mundo tiene tales comodidades. Puede hacerse la cura de baños salados (de agua tomada en pleno Océano) desde su departamento, muy recomendada para los temperamentos artríticos, reumáticos y personas nefríticas; departamentos de hidro-terapia; baños minerales y aromáticos de todas clases.

Salas de gimnasia sueca, eléctrica; sala de esgrima, electroterapia, alta frecuencia, etc., sala de inhalaciones iodadas para las vías respiratorias, sección masajes suecos o masajes eléctricos, pedicuro, manicuro, peluquería para hombres y salón coiffeur para damas.

Terraza enorme; gran bosque de deportes con toda clase de diversiones y con 20.000 metros de superficie; todo resguardado del sol por la tupida arboleda. Un verdadero y soñado Edén. Todo lo que se quiera comparar a esta maravilla resulta pequeño. Frente al Hotel un gran parterre con una superficie de 17.000 metros, espléndido, con plantas, pabellones; sitio de recreo en donde se respira el aire saturado por la brisa marina e impregnado de oxígeno a raudales. Es legión, la de los asmáticos que se curan radicalmente en Piriápolis como por encanto.

Teléfono en todas las piezas y telégrafo en comunicación con todo el mundo."

El Argentino Hotel fue inaugurado el 24 de diciembre de 1930, y su piedra fundamental se colocó en diciembre de 1920, asistiendo a dicho acto el entonces presidente de la República Dr. Baltasar Brum.

En un folleto de 1930 promocionaba Piria:

"El «Argentino Hotel» abarca una extensión superficial de 15.000 metros. Tiene 6 pisos y reúne todo el confort deseable, 200 apartamentos con cuartos de baño, calientes y fríos; amén de todos los cuartos independientes en todos los pisos. Una sección de cuartos de baños, caliente y frío, de agua de mar, única innovación Sudamericana.

El comedor mide 80 mts. de largo por 20 de ancho. Galerías inmensas sobre el mar. Un baar de 40 mts. por 18. Salón de baile regiamente amueblado. Hall colosal, cubierto de mármoles lo mismo que el Baar.

Cada piso tiene un Hall independiente, con salón para escribir y lectura.

Sala de billares, peluquería para hombres y salón para señoras.

Comedor de niños amplio, ventilado, cubierto de pintura sus paredes, todos los muebles son laque esmalte, mandados construir en Viena.

Ese comedor, mide 18 mts. por 30 y su superficie es de 540 mts..

Todas las piezas y apartamentos alhajados con lujo, confort y buen gusto. Los corredores de los pisos tienen 4 mts. de ancho y en conjunto son 1.200 mts. lineales de corredores, son salones.

Salón de gimnasia ortopédica, con aparatos alemanes, movidos la mayor parte eléctricamente.

Cocina; La cocina tiene 2 pisos y cada piso mide 40 mts. de largo por 25 de ancho. La parte alta responde al comedor principal. Fue fabricada en el taller Briffault, en París. Tiene 40 hornallas y por consecuencia 40 hornos, 5 ollas de 500, 400 y 300 litros de capacidad, independientes de la cocina, que hierven por medio de vapor.

Grandes asaderas, los Spiedos, hornos eléctricos a vapor, independientes; mostradores eléctricos, para mantener la comida a una temperatura fija; 30 cámaras frigoríficas para fiambres del día, maquinaria para fabricación de helados, pastelería eléctrica independiente la una de otra.

Hay una máquina que en una hora pela 500 kilos de papas, las cocinas y otras máquinas preparan los 500 kilos de puré.

La panadería del hotel, con horno vienés, de primera categoría, produce un pan exquisito, que es la delicia de todos, y ello no se debe solo a las harinas flor, de primera, que se consumen, sino a la especialidad de las aguas y a un chef de panadería incomparable.

Tiene el hotel un horno que puede abastecer a una ciudad.

Hay máquinas eléctricas para hacer tallarines, ravioles, capeletti; otras para preparar carnes e infinidad de manjares, todo eléctricamente.

Se han construido dos grandes depósitos de agua destilada con capacidad para 150 mil litros para hacer hielo cristalino especial, fabricación de helados y llega a la perfección de hacer el té y el café más exquisito, con agua destilada. Hay una sección especial en la gran cafetería, donde funciona una instalación completa para pasteurizar leche. Toda la leche que se sirve en el hotel es Pasteurizada.

Todas las aguas que se sirven en el hotel son filtradas a pesar de ser purísimas. Las paredes de la cocina, sección alta y baja, son forradas de azulejos blancos de primera calidad. En el solo revestimiento de esta sección, se han empleado 400 mil azulejos.

La sección lavadero de cristales, porcelana y cubiertos es lo más perfecto.

El lavadero de platos y lozas lo constituye un gran salón, todo forrado de azulejos. Funciona eléctricamente una máquina de lavar platos que cada hora deja limpios y secos 3.500 platos; y otra máquina que lava fuentes, tazas, platitos, entrega 4 mil piezas por hora.

La cafetería es admirable. Hay en ese piso alto, 4 grandes cámaras frigoríficas, para atender las necesidades y el consumo diario de la cocina.

En el piso bajo, está la cocina para los niños y la cocina del personal, instalación higiénica la más completa.

Compresor para la fábrica de hielo, frigoríficos con capacidad para dos millones de huevos, temperatura uniforme, frigorífico grande para carnes donde caben diez reses; gran cámara frigorífica para pescado, otra para aves y otras para verduras.

Cámaras de limpieza, todas forradas con mármoles y azulejos, blancos como nieve y con mangas de agua para la continua limpieza.

Gran cámara frigorífica para bebidas; gran depósito frigorífico de helados para consumo diario.

Gran cámara frigorífica, de 180 metros cúbicos, para la conservación de frutas, de manera de que cuando la estación de tal o cual fruta ha terminado, a la clientela se le sigue, durante un par de meses, suministrándole fruta fresca.

Fábrica independiente de hielo para el hotel y toda la región.

Instalación de 5 grandes motores Diessel para la producción de fuerza motriz y luz. Produce 600 caballos de fuerza.

Lavandería modelo, puede atender hasta el servicio de 30.000 clientes. Merece verse todo lo que vamos describiendo.

Sección lejía, enjabonamiento, enjuagues y almidonado, maquinaria costosísima y lo más perfecta. Hay una máquina que tiene 5 mts. de ancho, que, en 5 segundos, plancha una sábana de las más grandes –es algo admirable– máquinas para planchar de todas clases. La lavandería y sección planchado tienen una repartición exclusiva para la clientela, es muy de tener en cuenta por las Señoras y Caballeros.

Sección ropería: Es enorme, y con una organización perfecta. La existencia de ropa representa un capital no menor de 150 mil pesos oro, siendo toda la ropa del hilo del más fino.

Todas las cocinas son aireadas ampliamente, sus aberturas están cerradas con un enrejado de alambre de cobre muy fino, de manera que no pueda entrar ni un mosquito.

En el centro de la cocina funcionan aparatos que cambian continuamente el aire.

Oportunamente se señalará una hora, para que los clientes del hotel, puedan visitar todas las instalaciones y con especialidad, la cocina y sus dependencias. Todo el hotel tiene ascensores Otis, que son los más reputados –tanto para el servicio de pasajeros– como puramente para carga a los distintos pisos y también para servir desayunos y comidas en caso de enfermedad.

En la planta baja se ha destinado una sección para Estudiantes, con cuartos de duchas y sección lavatorios, etc. Los estudiantes solo abonarán media tarifa siempre que presenten su carnet de identidad y se concede esta rebaja para que tomen parte en los grandes bailes que se realizan todas las noches.

También el hotel contará con grandes cajas de hierro, para guardar valores, alquilándose las secciones independientes a precios módicos.

Frente al Hotel, se ha construido, a fuerza de gastar dinero, una terraza que mide 180 mts. de largo por 60 de ancho. Es un jardín marítimo, a un metro sesenta centímetros sobre la Rambla de los Argentinos, con grandes pelouses y todo cubierto de plantas, estatuas, asientos y mesas de mármol.

En la parte posterior del Hotel, hay un jardín cerrado, que mide 7 mil metros, cubierto de plantas, flores, estatuas y vasos, es de exclusivo acceso a los clientes del Hotel, está provisto de mesas, sillas y bancos y tiene entrada por la caja interior de la escalera por medio de una amplia escalinata.

Al fondo del hotel, la gran pelouse de 30 mil metros, cancha de tennis y plaza de deportes, cancha de bochas. Esa pelouse se transformará en bosques para el próximo año.

Se ha construido un gran garage con capacidad para 150 autos –por este año– pero se ha dejado espacio, para construir otro, para el año próximo, de doble capacidad.

Es absolutamente prohibido, desvestirse en el hotel para ir al baño, bajo ningún pretexto. Es también absolutamente prohibido concurrir a la terraza del Hotel, o del baar, en traje de baño, aunque los que lo quieran hacer se presenten envueltos en las sábanas de bañistas.

El personal del Argentino Hotel, se aloja en un edificio especial, alhajado con 300 camas.

El costo del Argentino Hotel excede de 3 millones de pesos oro.

En la playa hay cantidad de carpas para alquilar, a disposición de las familias, pues hay muchas que les gusta pasar parte del día a su comodidad.

En los altos de la sección baños, hay un espléndido Bar, con capacidad para 500 personas y con una terraza de 10 mts. por 40 sobre la misma playa: Regenteado por alemanes tipo Munich.

El Gran Pabellón de las Rosas

De forma circular, mide 40 mts. de diámetro y 30 de altura; 46 palcos alrededor y escenario para teatro y biógrafo.

Capacidad 3.500 personas.

Gran salón de baile.

Gran salón para banquetes.

Gran salón para comidas, todo iluminado de noche.

En el gran pabellón se sirven comidas abundantes y de primera calidad: 3 platos, pan, queso, fruta y pastelería; media botella de vino. Almuerzo completo durante la temporada por UN PESO.

En el Argentino Hotel se confeccionan bajo la dirección del Gran Chef todas las comidas que se sirven en el Gran Pabellón de las Rosas.

En los folletos no se detallaban la vajilla alemana, los finos muebles austríacos, los cristales de Checoslovaquia ni la lencería italiana.

El Hotel tendrá su garage para 200 autos.

Sección baños de mar. Edificio lo más soberbio, 600 cámaras de baño, todas independientes en medio de jardines; sección señoras y sección caballeros.

Todas las paredes estucadas al ripolín, amuebladas y ventiladas, lo más confortables, salón de duchas frías para cuando se sale del baño; en una palabra, lo más completo.

Al frente y en la parte alta, las terrazas y salón espacioso que están destinados al bar; espléndido palco con vista a la playa.

Aguas puras y abundantes, con pozos semisurgentes que dan más de 200.000 litros de agua por día".

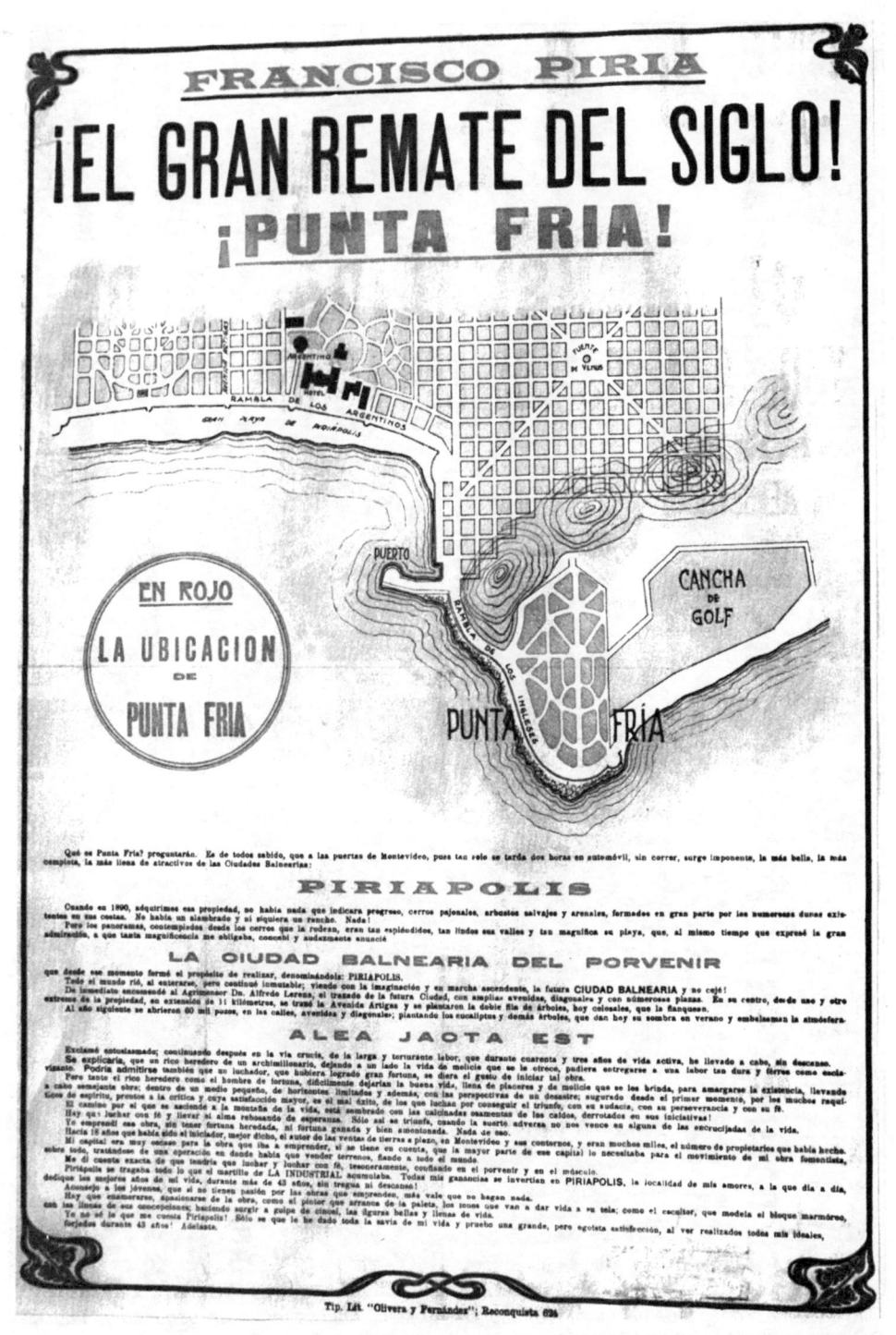

Primer remate de Punta Fría, realizado en el verano de 1933.

Otro cartel de propaganda del mismo remate. Con posterioridad se realizó un segundo remate, el Sábado de Gloria de 1933. Fue el último realizado por Piria en Piriápolis.

Palacio de Piria en Punta Lara, Prov. de Buenos Aires.

Panteón de Piria en el cementerio del Buceo. Allí yacen sus restos junto con los de su primera esposa. La escultura tiene esta inscripción: G. Scanzi, Génova, 1891.

Fuente de Neptuno, hoy inexistente, ubicada donde estuvo después el depósito de agua, transformado luego en la piscina del castillo, actualmente cubierta. Estaba entre el castillo y las caballerizas.

Primera camioneta de la panadería "Argentino Hotel", de Ricco e hijos. Hay quien dice que el primero de la izquierda podría ser Liber Falco.

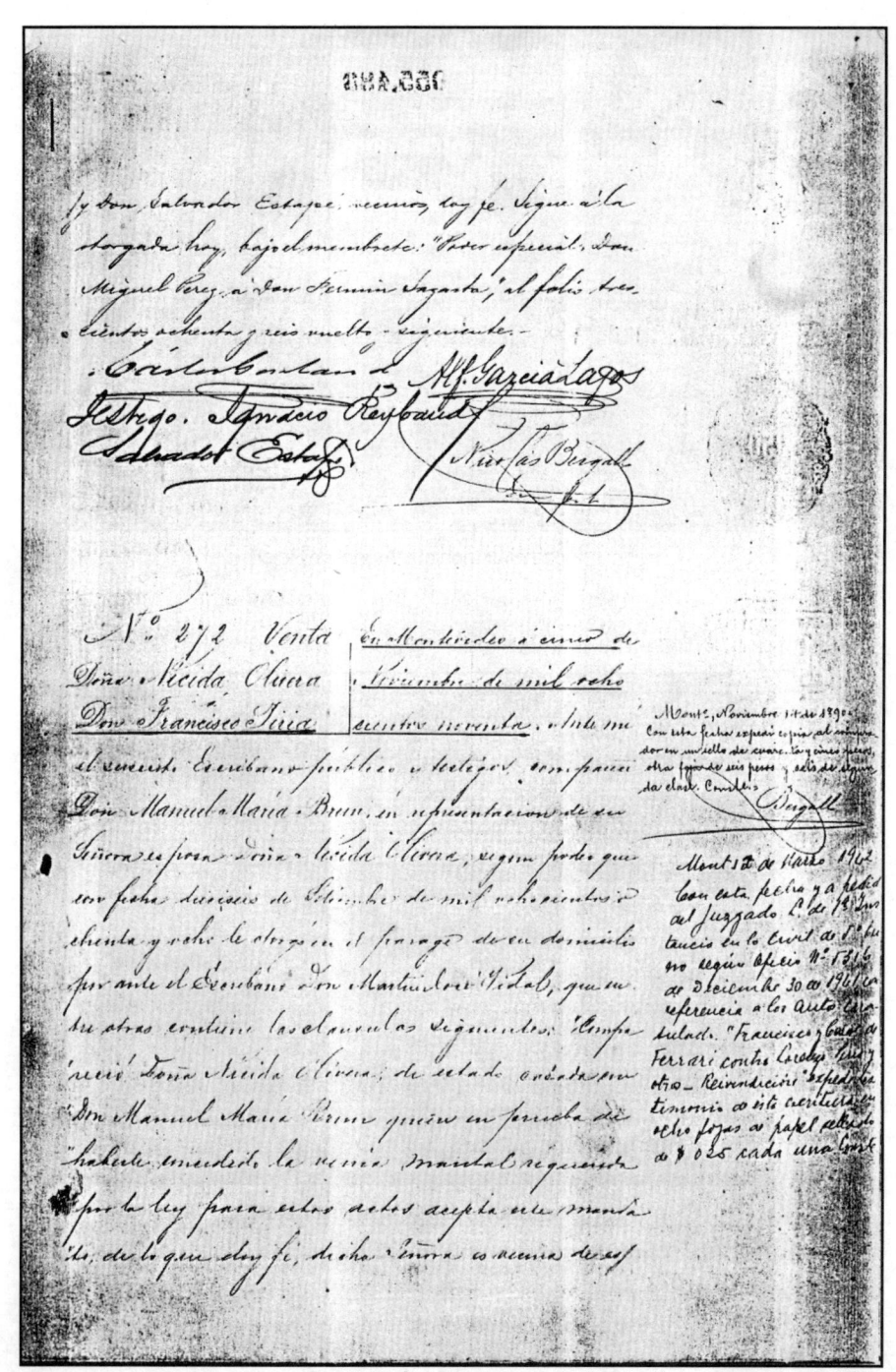

Escritura de la compra de Piriápolis. 5 de noviembre de 1890.

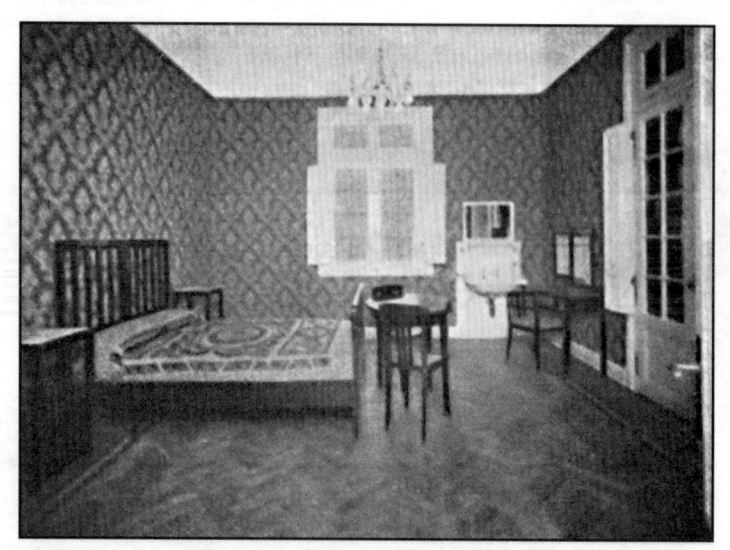

Pieza matrimonial - "Argentino Hotel"

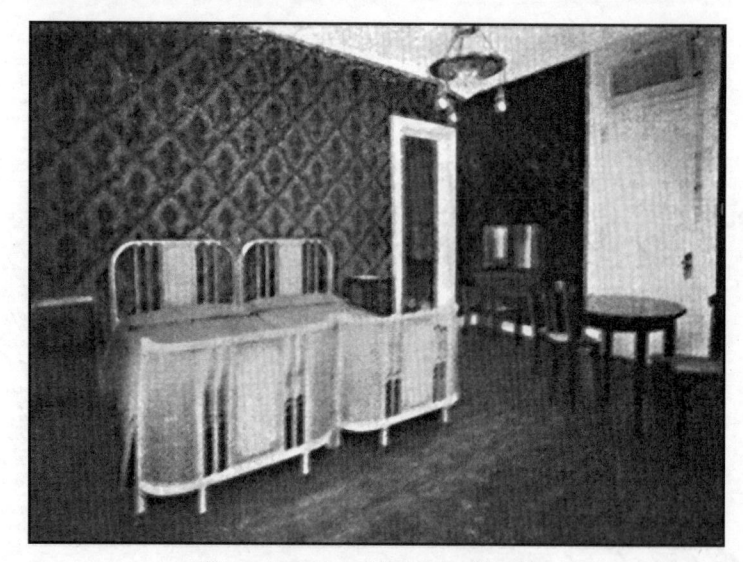

Pieza de novios - "Argentino Hotel"

Láminas tomadas del folleto Piriápolis - Guía del Turista
*(Temporada 1930 - 1931) con su curiosa
pieza de recién casados.*

NOTAS

(1) Declaraciones del historiador Gerardo Caetano.
(2) *Marcha*, febrero de 1952.
(3) Álvarez Lenzi, Ricardo; Arana, Mariano; Bocchiardo, Livia. **El Montevideo de la expansión (1868-1915)**, Montevideo: EBO, 1986.
(4) *La Tribuna Popular*, 27.3.1890, "Una excursión al Este".
(5) *La Tribuna Popular*, 10.3.1890, "Quinta Jornada".
(6) *La Tribuna Popular*, 24.6.1890, "En viaje".
(7) *La Tribuna Popular*, 24.6.1890, "En viaje".
(8) Piria, Francisco. **Impresiones de un viajero en un país de llorones**. Montevideo: s.ed., 1879, p. 45.
(9) *La Tribuna Popular*, 27.2.1890.
(10) "Vollo, Héctor": "Piriápolis-Reisebilder", *La Tribuna Popular*, 4.1.1899.
(11) "Libro de Travers", Resguardo Aduanero del Puerto del Inglés.
(12) "Libro copiador de oficios": Resguardo Aduanero, 1897, mayo 20 de 1903.
(13) Barrán, José Pedro. **Historia de la sensibilidad en el Uruguay**. Tomo I. Montevideo: E.B.O., 1990.
(14) Declaraciones de Miriam Piria.
(15) La Razón, 13.11.1919.
(16) Piria, Francisco (seud. "Henry Patrick"). **Un pueblo que ríe**. Montevideo: s.ed., 1885.
(17) Piria. **Impresiones de un viajero**..., p. 62.
(18) *La Tribuna Popular*, 27.10.1891, "Notas de un viajero".
(19) "Piriápolis-Reisebilder".
(20) Pereyra, Antonio. [1838-1906] **El Tiempo Viejo**. Buenos Aires: C.E.D.A.L., 1968.
(21) *El Diario*, 4.2.1957.
(22) **Enciclopedia Universal**. Madrid: Espasa Calpe, Tomo XLIV.
(23) *La Tribuna Popular*, 27.2.1890.
(24) *La Tribuna Popular*, 10.3.1890, "Quinta Jornada".
(25) *La Tribuna Popular*, 28.3.1893, "De Montevideo a Paysandú".
(26) Barrán, José P. **Apogeo y crisis del Uruguay... 1839-1875**. Montevideo: E.B.O., 1975.
(27) Faraone, Roque. **De la prosperidad a la ruina**. Montevideo: Arca, 1987. (Para esta cita y las siguientes).
(28) Oddone, Juan A. **Economía y sociedad en el Uruguay liberal, 1852-1904**. Montevideo, E.B.O., 1967.
(29) *La Tribuna Popular*, 15.3.1890, "Sexta Jornada" y "Siguen las melicadas".
(30) Fernández Saldaña, José María. **Historias del viejo Montevideo**. Montevideo: Arca, 1967.
(31) Muñoz, Daniel. **Artículos**. Montevideo: Clásicos Uruguayos, 1953.
(32) Pedemonte, Juan Carlos. **Hombres, bronce, mármol**. Montevideo: Barreiro y Ramos, 1971.
(33) Freire, José E. En *Brecha*, Nº 234, "Cartas de lectores".
(34) Faraone, Ob. cit.
(35) Volante para promoción de venta del "Barrio Artigas", 20.4.1884.
(36) Piria. **Un pueblo que ríe**. p. 27.

(37) **Libro del Cincuentenario** de El Siglo, 1863-1913.
(38) El valor medio podría ser algo menor, lo que aumentaría la relación tomada de $ 1-U$20 para vivienda. Cuando Piria exigía construcciones (lo hizo alguna vez a cambio de descuentos en el precio del solar), estableció en $ 400 o $ 600 el "valor de las obras".
(39) *La Tribuna Popular*, 11.2.1890.
(40) Muñoz, Daniel. **Artículos**. Montevideo: Clásicos Uruguayos, 1953.
(41) Todas las referencias económicas se toman de la obra citada de Roque Faraone.
(42) *Caras y Caretas*, N° 1, 20.7.1890.
(43) *La Tribuna Popular*, 21.3.1891, "Al pueblo".
(44) Álvarez Lenzi. Ob. cit.
(45) Montero Bustamante, Raúl y O. Morató. B.R.O.U. 1896-1917. En Roque Faraone, Ob. Cit.
(46) "La Rodelu" estudios y notas de Pablo Anonini y Diez, enviado extranjero y ministro plenipotenciario del Uruguay en Italia.
(47) Piria. **Impresiones de un viajero...**, p. 130.
(48) Oddone, Juan A. **Los gringos**. Montevideo: Enciclopedia Oriental, 1967.
(49) Oddone, Juan A. **La emigración europea al Río de la Plata**. Montevideo: E.B.O., 1966.
(50) *La Tribuna Popular*, 21.10.1890.
(51) *La Tribuna Popular*, 28.8.1889.
(52) Oddone, Juan A. Ob. cit.
(53) Nahum, Benjamín. **La estancia alambrada**. Montevideo: Enciclopedia Oriental, 1967.
(54) *La Tribuna Popular*, 27.2.1890, "Una excursión al Este".
(55) *Rojo y Blanco*, N° 4, 8.6.1900.
(56) *La Tribuna Popular*, 27.1.1891 y 27.10.1891, "Interior, Maldonado".
(57) Guía de *El Siglo*, 1916.
(58) *La Tribuna Popular*, 24.3.1890, "De Montevideo a Pan de Azúcar".
(59) Ídem.
(60) *La Tribuna Popular*, Juan P. Ortega.
(61) Escardó, Florencio. **Reseña Estadística**. Montevideo: Imprenta La Democracia, 1873.
(62) Citado en Faraone. **La crisis del '90**, Montevideo: Arca, 1969, p. 54.
(63) Los autores de **El Montevideo de la expansión**, señalan la importancia que tendría para el acervo histórico nacional el estudio de los libros de *La Industrial*. Una pista que había seguido Blanca S. de Arrienda, se continuó en el curso de la investigación, arrojando que lo que tiene en su poder el Departamento de Administración de Activos de Bancos en Liquidación, son los libros de *La Industrial* solamente a partir de 1946 cuando, a trece años de la muerte de Piria, la Sucesión se transforma en Sociedad Anónima, operando como colateral del Banco Transatlántico. Tal lo expresado por su Gerente, el Cdor. Juncal.
(64) *La Tribuna Popular*, 22.8.1891.
(65) Fernández, Ruperto. **Reseña de las minas descubiertas en el Dpto. de Maldonado**, escritas para la Liga Industrial en 1882. Montevideo, Imprenta El Siglo, 1883.
(66) *La Tribuna Popular*, 22.8.1891.
(67) "Piriápolis-Reisebilder", art. cit.
(68) Güinazzo, Luis Ma., **Uruguay, tibia Arcadia**. Montevideo: Florensa y Lafón, 1945.
(69) Sala, Lucía y Rodríguez, Julio. **Después de Artigas**. Montevideo: E.P.U., 1972.
(70) *La Tribuna Popular*, 1.7.1890.
(71) *La Tribuna Popular*, 3.7.1890.
(72) **Libro del Cincuentenario de** *El Siglo* 1863-1913, "Minería".
(73) Folleto *Piriápolis*, 1913.
(74) *La Tribuna Popular*, 27.11.1890.
(75) Xavier, M. **Buenos Aires y Montevideo en 1850**. Montevideo: Arca, 1967.
(76) El casamiento se realizó el 25 de diciembre de 1866.

(77) Falleció en la 4a. Sección Judicial de Montevideo, el 20 de octubre de 1880.
(78) Declaraciones de Emilio Tagliani.
(79) "Piriápolis-Reisebilder".
(80) Piria. **Un pueblo que ríe**.
(81) **Libro del Cincuentenario**, 1863-1913.
(82) *La Tribuna Popular*, 7.8.1894, "Tabaco de Piriápolis".
(83) Güinazo, Luis María. Ob. cit.
(84) La Tribuna Popular, 5.3.1893.
(85) *La Tribuna Popular*, 28.3.1893.
(86) Piria, Francisco. Folleto *Piriápolis*. Montevideo: Barreiro y Ramos, 1902.
(87) *Rojo y Blanco*, N° 11, 26.7.1890.
(88) Escardó, Florencio. Ob. cit., p. 105.
(89) **Libro del Cincuentenario**.
(90) *El Pueblo*, de San Carlos, 1.7.1902. Firman los viticultores: Antonio y Francisco Bonilla, Bonilla y Núñez, Ángel Pintos, Sánchez y Cía., Manuel Brum, Juan de León, Sánchez Hnos., Valentín de León, Antonio Bachino y Pedro Sureda.
(91) Piria, Francisco. "Mirando de frente al porvenir", 1901.
(92) Lerena de Blixen, Josefina. **Novecientos**. Montevideo: Ed. Río de la Plata, 1967.
(93) Piria. **Un viajero...**
(94) *La Tribuna Popular*, 21.11.1901.
(95) Lerena de Blixen, Josefina. Ob. cit., pág. 3.
(96) Piria. **Un viajero...**
(97) *Revista Humorística Ilustrada La Playa*, 29.12.1898.
(98) Heine, Heirich. **Los dioses en el exilio**. Barcelona: Bruguera, 1984.
(99) Acevedo, Eduardo. **Anales históricos del Uruguay**. Montevideo: Barreiro & Ramos, 1933-36.
(100) *La Tribuna Popular*, 6.1.1891.
(101) Revista Centro Farmacéutico Uruguayo. Montevideo: Imprenta Rural, 1894.
(102) Escardó, Florencio. **Reseña histórica**. Montevideo: Imprenta La Tribuna, 1876.
(103) Folleto *Piriápolis*, 1916.
(104) Anuario de *El Siglo*, 1898.
(105) Claridge, R.T. **Hidropatía**. Buenos Aires: Americana, 1850.
(106) Mombrú, Pedro M. **El regenerador de la naturaleza, la panacea universal, o sea el agua fría**. Barcelona: Pablo Riex, 1869.
(107) Declaraciones de Emilio Tagliani.
(108) Declaraciones de Miriam Piria.
(109) *La Tribuna Popular*, 17.2.1893.
(110) Jacob, Raúl. "Vida y trabajo en el viejo Uruguay". *Hoy es Historia*, N° 2, 1984.
(111) *La Tribuna Popular*, 16.6.1893, "Los vales de Piriápolis".
(112) Rama, Carlos. "Uruguay entre dos siglos". *Cuadernos de Marcha*.
(113) *La Tribuna Popular*, 16.6.1893, "Los vales de Piriápolis".
(114) Semanario *La Batalla*, julio, 1916.
(115) *La Tribuna Popular*, 28.10.1916, "Novedades de campaña".
(116) Libro Diario, 1899-1900.
(117) Jacob, Raúl, Ob. cit.
(118) Alfaro, Hugo **Mario Benedetti**. Montevideo: Trilce, 1988.
(119) Piria, Francisco. **El socialismo triunfante o lo que será mi país dentro de 2000 años**. Montevideo: Dornaleche y Reyes, 1898. Ha sido reeditado por Rutrin S.R.L., Buenos Aires, 2002.
(120) *La Razón*, 13.11.1919.
(121) Piria, Francisco. *Mister Henry Patrick en busca del pueblo oriental*.
(122) Piria, Francisco (seud. "Policarpo Piedrecilla"). Folleto *Única manera de hacer fortuna*, 1908.

(123) Piria. **Un pueblo que ríe**.
(124) Caetano, Gerardo. **El empuje conservador**. Montevideo: Cuadernos de CLAEH, 1989.
(125) *La Tribuna Popular*, 9.7.1894, carta de Alvariza a Francisco Piria: "¿Se acuerda usted de lo que me decía hace algún tiempo de la formación de un partido de trabajo?"
(126) Declaraciones de Benito Nardone al periodista Luis H. Vignolo Montecoral.
(127) Kardek, Allan. **Diario de estudios psicológicos**. (Transcripto en la revista Constancia, Buenos Aires, N° 2747, 16.3.1848.
(128) *La Tribuna Popular*, 30.7.1889, carta fechada en Génova el 6.7.1889.
(129) Folleto *Piriápolis*, 1913.
(130) Folleto *Piriápolis*, pág. 14.
(131) Testimonio del historiador de Pan de Azúcar, Prof. Ricardo Figueredo.
(132) *La Tribuna Popular*, 18.1.1912.
(133) Folleto *Piriápolis*.
(134) Los entendidos suponen que los durmientes provinieron de Paraguay o del norte argentino.
(135) Tagliani afirma que las máquinas del trencito eran marca Krupp, dato que no coincide con la información que maneja la "Asociación Uruguaya de Amigos del Riel".
(136) Los durmientes de quebracho costaban $ 2 cada uno. Si el costo de los rieles fuera equiparable, las vías habrían costado aproximadamente $ 150.000, suma similar al producto de la venta de 400 solares a $ 400 cada uno.
(137) *La Tribuna Popular*, 3.5.1912.
(138) Folleto *El triunfo de Piriápolis*. Sala Uruguay de la Biblioteca Nacional, 10TN967, P.5 E.5 Coloc. 200.601.
(139) El informe de la "Asociación Uruguaya de Amigos del Riel", fechado en setiembre de 1990, indica que el trencito se suprimió el 31.10.1958. Los vecinos aseguran que fue en 1959.
(140) Los señores Noel Martínez y José L. Chifflet declaran que los carpinteros que hicieron los vagones fueron "Don Andrés, Don Alejandro y el señor San Martín".
(141) Declaraciones de la señora Edda Barbosa de Loinaz.
(142) Verón, Eugène, **L' esthétique**. Paris: Bibliothéque de Sciences Contemporaines, 1888.
(143) Folleto *Piriápolis* 1912, Biblioteca Nacional, Coloc. 102747.
(144) Folleto *Argentino Hotel*, 1930.
(145) Llevaron vajilla del **Argentino Hotel** "en préstamo", entre otras instituciones, la Casa Presidencial de la Avenida Suárez, el Comando del Ejército, la Estancia San Juan (Anchorena).
(146) El Cnel. (R.) Juan Carlos Bové realizó un estricto inventario de las existencias de los depósitos a partir de 1985.
(147) *La Tribuna Popular*, 11.11.1933.
(148) Museo Histórico Nacional, archivo particular del Dr. Luis A. de Herrera, carpeta N° 3637, documento N° 97.
(149) El fallecido presidente de la Asociación de Fomento y Turismo, señor Santos Negro, habría depositado el filme en manos de un funcionario municipal de apellido Ruiz.
(150) Prólogo escrito por Enrique Di Gandia al libro de Carmen Piria **Espectáculos de combates - El hijo ajeno - Tan-gó**.
(151) Testamento del 13.11.1933, firmado ante el escribano Alfredo L. Del Valle.
(152) La tradición oral en determinados círculos, sostiene un novelesco "el que pierde, gana" basado en que la parte de "libre disponibilidad" a recibir por Carmen Piria de haber renunciado a su apellido hubiera sido mayor que la que le correspondía como hija natural. Los documentos que se tuvieron a la vista indican, sin embargo, que heredaría "hasta igualar" la parte de los hijos legítimos.
(153) Según Tomás Sención, las Usinas de Piria pasaron al Estado el 10.9.1942.
(154) Semanario *Punta del Este*, 31.5.1952.
(155) *El Día*, 15.9.1952.

Índice

DOCE AÑOS DESPUÉS 5
I   CIEN AÑOS 7
      "Yo no soy nada" 11
      Vigencia de Piriápolis 12
II PRIMEROS AÑOS 14
III EL MERCADO VIEJO Y LOS "REMINGTONS" 20
      Incendio en el Mercado 23
      El taller de los "Remingtons" 24
IV LA BASE DE UNA FORTUNA:
     SOLARES BARATOS Y A TREINTA AÑOS 26
      Joaquín Suárez 31
      Una curiosa voltereta 33
V   LA CLIENTELA DE LOS SOLARES:
     GRINGOS, PROLETARIOS Y PAISANOS 37
      Situación de los paisanos 39
VI LOS VIAJES A MALDONADO Y PAN DE AZÚCAR.
     COMPRA DEL CAMPO. 41
      A Piriápolis 43
VII EL ORO DE LA TIERRA:
     ESTABLECIMIENTO AGRONÓMICO PIRIÁPOLIS 48
      Comienza a andar el establecimiento 50
      Los vinos de Piriápolis 53
VIII LOS "TOURISTAS" DE ENTONCES
     ¿QUÉ PREFERÍAN LOS "TOURISTAS"? 59
IX LA SALUD POR MEDIO DEL AIRE,
     EL AGUA Y EL VINO 63
X   LA CUESTIÓN OBRERA EN PIRIÁPOLIS 68
      Opiniones y testimonios sobre Francisco Piria 76

XI   SOCIALISTAS, FEUDALES, DICTADORES, MASONES,
ADIVINOS Y UNA CURIOSA INTERVENCIÓN EN POLÍTICA 81
    Única –y frustrada– intervención en política 84
    La masonería y la iglesia: "Non in fritatta" 86
    La pitonisa calabresa y la filosofía 87

XII   UNA ETAPA HACIA EL ÉXITO: EL PUERTO, EL FERROCARRIL
Y EL HOTEL PIRIÁPOLIS 89
    Un tren instalado a "toda velocidad" 92
    El Hotel Piriápolis: primer jalón del desarrollo hacia el Este 99

XIII TRIUNFO TOTAL: EL ARGENTINO HOTEL, 1930 105
    Un Hotel/Ciudad en un Balneario/País 109

XIV MUERTE, VIOLENCIA Y ORGULLO: EL DESASTRE 112
    Parte de la clave: un asesinato y un suicidio 113
    Carmen Piria, hija o amante: 13 años de pleito 116

XV   PIRIÁPOLIS DESPUÉS DE PIRIA 121

FINAL 126

APÉNDICE 2003 129
    Piria escritor 131
    Crimen y suicidio 138
    El primer hotel 141
    Los primeros quince chalets de alquiler 141
    El Pabellón de las Rosas 143
    Paseo de La Pasiva 150
    San Antonio 150
    Algo más sobre la bodega 152
    El reglamento interno 154
    El Castillo de Piria 157
    Cerro Pan de Azúcar 159
    La muerte de Piria 161
    Artigas y el Cerro del Toro 162
    La Cruz del Pan de Azúcar 164
    Reserva de fauna 165
    Argentino Hotel 166

NOTAS 177

IMPRESO Y ENCUADERNADO EN
MASTERGRAF SRL
GRAL. PAGOLA 1823 - CP 11800 - TEL.: 2203 4760*
MONTEVIDEO - URUGUAY
E-MAIL: MASTERGRAF@NETGATE.COM.UY

DEPÓSITO LEGAL 358.833 - COMISIÓN DEL PAPEL
EDICIÓN AMPARADA AL DECRETO 218/96